O PODER DA PACIÊNCIA

Conheça outros títulos da coleção Autoestima

A arte da meditação, de Daniel Goleman, Ph.D.

A arte da prudência, de Baltasar Gracián

A arte da serenidade, de Hugh Prather

A arte de viver, de Sharon Lebell

A essencial arte de parar, de David Kundtz

Aprendendo a conviver com quem se ama, de Neale Donald Walsch

A sabedoria de Gandhi, seleção e introdução de Richard Attenborough

Conversando com os espíritos e *Em busca da espiritualidade,* de James Van Praagh

Dez leis para ser feliz e *Você é insubstituível,* de Augusto Cury

Faça o seu coração vibrar, de Osho

Histórias para aquecer o coração, de Jack Canfield, Mark V. Hansen e Heather McNamara

Histórias para aquecer o coração dos adolescentes, de Jack Canfield, Mark V. Hansen e Kimberly Kirberger

Muitas vidas, muitos mestres e *Só o amor é real,* de Brian Weiss

Não deixe para depois o que você pode fazer agora, de Rita Emmett

O caminho da tranquilidade, de Sua Santidade, o Dalai-Lama

O outro lado da vida, de Sylvia Browne com Lindsay Harrison

O poder das afirmações positivas, Pensamentos poderosos e *Sabedoria para viver bem,* de Louise Hay

Os números secretos dos relacionamentos, de Aparecida Liberato e Beto Junqueyra

Pequenos milagres, de Yitta Halberstam e Judith Leventhal

Praticando o Poder do Agora, de Eckhart Tolle

M. J. Ryan

O PODER DA PACIÊNCIA

COMO DIMINUIR A PRESSA E TER MAIS
FELICIDADE, SUCESSO E PAZ NO SEU DIA A DIA

SEXTANTE

Título original: *The Power of Patience*

tradução
Sonia Maria Moitrel Schwarts

preparo de originais
Regina da Veiga Pereira

revisão
Guilherme Semionato
Isabella Leal
Leonardo Alves
Sérgio Bellinello Soares

projeto gráfico e diagramação
Valéria Teixeira

capa
Miriam Lerner

impressão e acabamento
Yangraf Gráfica e Editora Ltda.

CIP-BRASIL. CATALOGAÇÃO-NA-FONTE
SINDICATO NACIONAL DOS EDITORES DE LIVROS, RJ

R124p Ryan, M. J. (Mary Jane), 1952-
O poder da paciência / M. J. Ryan [tradução de Sonia Maria Moitrel Schwarts]. – Rio de Janeiro: Sextante, 2009.

Tradução de: The power of patience
ISBN 978-85-7542-508-4

1. Paciência. I. Título.

CDD 179.9
09-3334 CDU 179.9

GMT Editores Ltda.
Rua Voluntários da Pátria, 45 – Gr. 1.404 – Botafogo
22270-000 – Rio de Janeiro – RJ
Tel.: (21) 2538-4100 – Fax: (21) 2286-9244
E-mail: atendimento@esextante.com.br
www.sextante.com.br

SUMÁRIO

1

Como essa virtude antiquada pode melhorar sua vida

Querido Deus, rezo pedindo paciência.
E eu a quero IMEDIATAMENTE!
OREN ARNOLD

Veja isto:

- Alguns McDonald's prometem entregar o pedido em até um minuto e meio, ou o lanche é grátis.
- A duração média da consulta de um médico é de oito minutos.
- Um remédio vendido sem receita médica é anunciado para mulheres que "não têm tempo para uma infecção vaginal".
- Mesmo falando de assuntos complexos, atualmente os políticos levam apenas 8,2 segundos para responder a uma pergunta.
- Um popular bufê em Tóquio cobra por minuto – quanto mais rápido você comer, menos pagará.
- O presidente da divisão de computadores portáteis da Hitachi motiva seus trabalhadores com o lema "A velocidade é Deus, o tempo é o diabo".
- Os construtores de prédios altos descobriram um limite para o número de andares – a quantidade de tempo que as pessoas estão dispostas a esperar pelos elevadores. Quinze segundos é o tempo de espera ideal; se ele se prolonga para quarenta, ficamos impacientes.

A grande maioria das pessoas passa hoje a vida correndo de um lado para outro. Estamos em constante movimento e esperamos que tudo e todos que nos cercam também andem mais depressa. Qualquer ritmo mais lento nos deixa exasperados. Sofremos da "doença da pressa".

Sei que a tenho. Não consigo suportar o tempo que o meu computador leva para ligar. Se demora mais de dois minutos, fico absolutamente tensa e me descubro com o maxilar cerrado e o corpo contraído. Sou aquele tipo de pessoa que aperta o botão do elevador mais de uma vez para fazê-lo vir mais depressa. E no micro-ondas uso o botão de um minuto porque é mais rápido do que digitar o tempo.

Esse é o grau da minha doença. Certa vez, fui à loja onde costumava tirar fotocópias. Estava na fila, esperando para pagar. O jovem atrás do balcão procurava ajudar uma velhinha a descobrir como enviar um embrulho para seu neto. Havia uma outra pessoa na minha frente na fila. Meu monólogo interior foi assim: "Como eu odeio filas! Por que eles não colocam mais ajudantes aqui?" (Resmungo.) "Por que, pelo menos, não colocam cartazes com o valor de cada cópia para que eu possa pagar sem precisar esperar?" (Um minuto se passou. Mais resmungos.) "Como eu detesto esperar! Tenho coisas mais importantes para fazer. Não posso ficar parada aqui. Preciso chegar em casa para escrever meu livro sobre a paciência."

Não aguentei mais. Saí intempestivamente do meu lugar na fila.

– Quanto é uma cópia?

– Dez centavos – respondeu o jovem, aturdido.

Depois de jogar no balcão uma nota de um dólar para pagar minha compra de quarenta centavos, saí apressadamente da loja. Só me dei conta do absurdo da situação quando estava dentro do carro indo embora.

Outro nome para a doença da pressa é impaciência, e estou certa de que não sou a única pessoa que a possui. A fúria no trânsito, a violência de todos os tipos, as explosões de raiva no trabalho, o divórcio, os gritos com os filhos... todos esses comportamentos e muitas outras doenças no mundo podem estar relacionados, pelo menos em parte, à falta de paciência.

Recentemente, o estado da Califórnia colocou cartazes nas estradas com os dizeres: "Diminua a velocidade nos trechos em obras." Trata-se de uma campanha para fazer os motoristas diminuírem a velocidade de cem para oitenta quilômetros por hora nesses locais, porque muitos operários estão morrendo atropelados. A propaganda informa que, para o motorista, a diferença de tempo entre essas duas velocidades é de apenas dez segundos. Pessoas estão morrendo porque não estamos dispostos a chegar a algum lugar dez segundos mais tarde!

Na verdade, parece que quanto mais depressa tudo anda, mais impacientes ficamos. Isso se torna um problema, porque a vida inevitavelmente nos impõe certo grau de atraso sob a forma de filas, engarrafamentos e sistemas de mensagens automatizadas. O problema fica mais grave se pensarmos que os desafios mais complexos – doenças, incapacitação, conflitos de relacionamento, crises no trabalho, assuntos ligados às funções paterna e materna, construção da convivência no casamento, para citar apenas alguns – exigem que pratiquemos a paciência não apenas para enfrentá-los, mas para adquirirmos mais amor e sabedoria.

Sem paciência, não podemos aprender as lições que a vida nos ensina e não conseguimos amadurecer. Permanecemos naquele estágio de bebês irritadiços, incapazes de adiar as vontades passageiras e de nos dedicarmos à busca do que verdadeiramente desejamos. Se quisermos viver de forma mais completa e intensa, e não fazendo tudo às carreiras, é fundamental praticarmos a paciência – paciência com nós mesmos, com as outras pessoas e com as grandes e as pequenas circunstâncias da vida.

Constato que estamos todos ansiosos para colocar mais paciência em nossas vidas, porque, quando conto que estou escrevendo um livro sobre este assunto, as pessoas me repetem enfaticamente: "Preciso disso!" Nunca se precisou tanto de paciência quanto agora – e nunca o estoque esteve tão baixo.

Mas podemos mudar isso. Mudando de atitude e com um pouco de prática, somos capazes de aprender a utilizar o poder da paciência. Se eu, uma mulher de meia-idade, acelerada e perfeccionista, posso fazê-lo, você também pode. É preciso misturar motivação (querer), percepção (prestar atenção à nossa estrutura interna) e cultivo (prática).

Podemos fazer isso porque a paciência é uma característica humana capaz de ser fortalecida. Nós já a possuímos, pois a vida nos impõe uma série de situações que nos obrigam – queiramos ou não – a ser pacientes. O que nos falta é ter consciência do que nos ajuda a ser pacientes, do que provoca a nossa impaciência e do que fazer quando nossa paciência está no limite.

O mais importante é saber que a paciência é algo que você *cria*. É como um músculo. Todos nós temos músculos, mas algumas pessoas são mais fortes do que outras porque se exercitam mais. O mesmo acontece com a paciência.

Este é o tema deste livro: a importância crucial da paciência e o que fazer para nos tornarmos mais pacientes. Compartilho com vocês minhas próprias histórias, assim como noções de sabedoria sobre o assunto colhidas do mundo inteiro através dos séculos. Este livro nasceu da minha busca para dar significado à vida e do meu desejo de ajudar os outros a fazerem o mesmo.

A origem deste livro remonta a dez anos, quando, como editora executiva da Conari Press, publiquei um pequeno livro chamado *Gestos de bondade: uma coletânea ao acaso*, no qual reuni histórias reais de pequenos atos de bondade para com estranhos. Só me dei conta da importância daqueles relatos quando recebi uma montanha de cartas de pessoas me contando suas histórias e descrevendo a alegria que tinham vivenciado ao praticar ou receber aquelas ações. A carta que jamais esquecerei foi a de um aluno do ensino médio que disse que ia se matar, mas, quando leu o livro, sentiu que talvez valesse a pena viver.

Fiquei fascinada ao ver como a prática da bondade pode gerar felicidade e decidi escrever uma série de livros sobre o assunto. Comecei também a procurar ser mais gentil com estranhos e com as pessoas mais próximas. E constatei que isso me fazia muito mais feliz.

Então me fiz a seguinte pergunta: "Se a bondade pode produzir efeitos tão positivos, quais são as outras qualidades que podem conduzir a resultados semelhantes?" Focalizei minha atenção na gratidão e descobri que quanto mais reconheço e agradeço tudo o que tenho, mais feliz e menos inquieta eu fico. Voltei a escrever sobre minhas experiências em *O poder da gratidão* e novamente recebi muitas cartas, dessa vez sobre o assunto desse segundo livro.

Seguiu-se naturalmente a generosidade – o ato de darmos nossos recursos e nos doarmos a outras pessoas. Depois de *The Giving Heart* (O coração generoso), resolvi dedicar-me a estudar a paciência. Verifiquei então que quanto mais a cultivamos, mais felizes e tranquilos ficamos, mesmo quando as coisas não saem do jeito que queremos.

Se eu tivesse tido um pouco mais de paciência, poderia ter esperado calmamente pelos (talvez) cinco minutos necessários para pagar as cópias na loja. Evitaria aqueles sentimentos negativos de irritação e de raiva que me envenenaram e não teria desconcertado as outras pessoas que estavam lá. Minha pressão sanguínea permaneceria baixa, meu sistema imunológico, mais forte. Eu me sentiria muito melhor – mesmo enquanto esperava!

Na verdade, quanto mais estudo e exercito a paciência, mais a vejo como um fator crucial para termos ou não uma vida satisfatória. A paciência nos dá autocontrole, capacidade para parar e usufruir mais plenamente o momento presente. A partir daí, nos tornamos capazes de fazer escolhas sábias. A paciência nos ajuda a ser mais amáveis com os outros, mais confiantes nas circunstâncias de nossas vidas e mais capazes de obter o que queremos. Ela constantemente nos recompensa com os frutos da maturidade e da sabedoria: relacionamentos mais saudáveis, melhor qualidade de trabalho e, sobretudo, maior paz de espírito. Ela consegue esse milagre reunindo três qualidades essenciais da mente e do coração: persistência, serenidade e tolerância.

MANTENHA-SE FIRME: O PODER DA PERSISTÊNCIA

A paciência nos dá firmeza e capacidade para caminharmos em direção a nossos objetivos e sonhos. Uma recente pesquisa sobre a inteligência emocional demonstra que o efeito da persistência pode ser igual ao de muitos pontos de QI. Por serem treinados desde cedo para persistir, os estudantes asiáticos têm um desempenho melhor do que a média dos americanos, estando proporcionalmente representados em maior quantidade nas principais universidades e em profissões mais intelectualizadas.

São inúmeras as histórias de pessoas que persistiram, apesar das incertezas, antes de finalmente alcançarem um grande sucesso. Walt Disney, por exemplo, foi rejeitado 302 vezes antes de conseguir um financiamento para a Disneylândia. George Lucas utilizou seu próprio dinheiro para produzir *Guerra nas estrelas*, porque ninguém acreditava no seu projeto. Quando o filme foi finalmente lançado, ele estava completamente falido, mas acabou ficando muito rico, precisamente por não ter conseguido vender os direitos do filme nem os de suas até então improváveis continuações.

Perseverar pacientemente, apesar dos obstáculos, não significa obrigatoriamente que conseguiremos obter as incríveis recompensas que Walt Disney e George Lucas colheram. Mas a paciência com certeza aumenta as probabilidades de conseguirmos concretizar nossos sonhos, quaisquer que eles sejam.

SEM MOTIVOS PARA SE ESTRESSAR: O PODER DA SERENIDADE

A paciência também nos proporciona paz de espírito. Quando a cultivamos, nosso estado interior se assemelha mais a um lago tranquilo do que a um rio turbulento. Em vez de ficarmos com raiva, em pânico ou ansiosos nas inevitáveis situações de estresse – um voo cancelado, um prazo final perdido por um colega de trabalho, o marido ou a esposa que se esquece de fazer algo que lhes pedimos –, nos tornamos capazes de analisar essas situações por uma perspectiva que nos permite manter a serenidade.

Adotando essa atitude, em vez de sermos desagradáveis – resmungando, reclamando e aborrecendo todos os que nos cercam –, passamos a ser pessoas com quem os outros podem contar sempre que precisarem. O padre jesuíta e escritor Anthony de Mello dá bem a ideia dessa atitude quando escreve: “Está tudo bem, está tudo bem. Embora esteja um caos, está tudo bem.”

Se somos pacientes, conseguimos manter a calma em nosso íntimo, não importa o que esteja acontecendo ao nosso redor. Confiamos na capacidade que temos de lidar com as situações que se apresentarem, e essa confiança nos dá uma grande paz de espírito.

Gosto da palavra autocontrole, que, para mim, é sinônimo de paciência. Com paciência, nós nos controlamos. Em vez de nos deixarmos dominar por nossas emoções, temos liberdade interior para escolher como reagir a um determinado acontecimento. A paciência é como a quilha de um barco: ela nos permite manter a estabilidade nos mares mais revoltos da vida enquanto continuamos a nos mover na direção que desejamos.

A paciência também nos ajuda a aceitar os obstáculos do caminho e nos permite reagir aos desafios do cotidiano com coragem, força e otimismo. Um negócio perdido, decepções no amor, uma incapacitação séria e preocupações financeiras são alguns dos problemas que talvez tenhamos de enfrentar ao longo da vida. Ser paciente nessas circunstâncias não significa gostar dos golpes que recebemos, mas reconhecer que eles fazem parte da vida e que, apesar do sofrimento que provocam, não devemos optar pela amargura, pela vingança ou pelo desespero, e sim arregaçar as mangas e enfrentar o desafio com esperança.

A aceitação que vem com a paciência também nos ajuda a compreender os outros, por entender que, como seres humanos, todos temos limitações. A paciência nos dá a capacidade emocional de reagir com bondade e de sentir compaixão.

Você demonstra ter paciência quando cuida com carinho de pais idosos que não são capazes de reconhecer a sua dedicação ou quando explica, pela enésima vez e com toda a calma, a uma criança irrequieta por que ela não pode subir nos móveis. São certamente situações que você preferiria não vivenciar, mas a paciência lhe dá a capacidade de compreender que há seres humanos imperfeitos que, como você, apenas querem ser felizes.

Ao aceitarmos os outros como são e a vida como ela se apresenta a cada momento, damos provas de nossa força e de nossa beleza interior. É fácil ser tolerante quando tudo está bem. Mas, ao demonstrar paciência quando as coisas não são do jeito que queremos, revelamos a nossa melhor dimensão como seres humanos.

Pare um momento para refletir sobre uma ocasião em que você usou o poder da paciência. Quais eram as circunstâncias? Você conseguiu acalmar uma situação que poderia ser explosiva? Em vez de ter um ataque de raiva, tratou com consideração uma pessoa de quem você gosta? Procurou compreendê-la? Reivindicou seus próprios direitos, protestou contra uma injustiça firmemente mas com serenidade? Como é que se sentiu? O que ajudou você a ter paciência? Quais foram as consequências?

Agora pense numa ocasião em que alguém teve paciência com uma atitude sua. Como essa pessoa tratou você? Como é que você se sentiu? O que você aprendeu com a experiência? O que fez?

A paciência é uma virtude tão valiosa que todas as religiões nos oferecem exemplos a seguir. Os seguidores do Buda aprendem que a prática da paciência é uma das maneiras de alcançar a sabedoria, além de ser um dos atributos de Deus no Corão. No Antigo Testamento, Jó é a personificação da paciência, e no Novo os cristãos são inspirados pela vida e pelo sacrifício de Jesus Cristo.

A impaciência é um hábito; a paciência, também. Para mudar um hábito, precisamos estar motivados pela certeza de que o novo comportamento nos trará recompensas. Depois, precisamos ter a disposição para encorajar a mudança que queremos operar. Por fim, precisamos das ferramentas da mudança, experimentar novos comportamentos e analisar os efeitos que eles exercem em nossas vidas. Neste livro você encontrará inúmeras maneiras de cultivar a paciência, especialmente nas situações mais comuns e estressantes do cotidiano – enfrentar filas ou engarrafamentos, trabalhar com um chefe autoritário, cuidar dos filhos, lidar com pais idosos, esperar uma pessoa que se atrasou, aguardar a chegada do amor.

Leia este livro bem devagar, refletindo sobre sua própria experiência. Não procure adotar todas as sugestões de uma só vez. Comece experimentando uma ou duas que lhe parecerem mais atraentes. Eu sugiro várias porque não sei quais serão as mais eficazes para você.

Não se culpe quando, apesar de todo o esforço, você perder a paciência. Esta é uma mudança que requer prática e tempo. Eu venho praticando conscientemente a paciência há alguns anos e, mesmo assim, há ocasiões em que chego a explodir.

Veja-me como uma companheira de viagem. Nestas páginas eu lhe estenderei a mão e juntos exploraremos, usando a paciência, maneiras de nos tornarmos mais serenos, mais fortes, mais justos, mais afetuosos e mais capazes de ser felizes e fazer felizes os que cruzam nossos caminhos.

Espero e rezo para que este livro ajude você a expandir a paciência que está no seu coração, e para que nossos esforços se espalhem como ondas cada vez maiores pelo mundo.

2

OS DONS DA PACIÊNCIA

Se há alguma coisa que dá soberania à alma,
é a paciência. Qual era o segredo dos mestres
que realizaram grandes coisas, inspiraram
muitas pessoas e ajudaram muitas almas?
O segredo deles era a paciência.
INAYAT KHAN

Antes de começarmos a aprender qualquer coisa, sempre queremos saber a razão de fazê-lo. Como o aprendizado requer esforço, precisamos saber se valerá a pena despender a energia necessária. Vamos então falar em primeiro lugar das recompensas que podemos obter com o esforço para nos tornarmos pessoas mais pacientes.

A PACIÊNCIA GERA EXCELÊNCIA

Talento significa uma enorme paciência.
GUSTAVE FLAUBERT

Entre as muitas coisas que Thomas Edison inventou, talvez a mais conhecida e a mais importante seja a lâmpada.

Enquanto lutava para chegar a um resultado, ele dizia: "Eu não fracassei setecentas vezes. Eu não fracassei nem uma única vez. Eu consegui provar que essas setecentas maneiras não funcionam. Quando tiver eliminado todas as maneiras que não funcionam, descobrirei a que funcionará."

Há anos eu reflito sobre a paciência, mas foi só nos últimos meses que comecei a perceber a relação entre paciência e cultivo da excelência. É assim que Eric Hoffer a define: "Na essência de cada verdadeiro talento há uma consciência das dificuldades inerentes a qualquer realização e uma certeza de que com persistência e paciência algo importante será realizado. Portanto, o talento é uma espécie de tenacidade." George Louis Leclerc de Buffon estava se referindo à mesma coisa quando escreveu: "A genialidade nada mais é do que uma aptidão maior para a paciência."

Esses pensadores nos lembram que a genialidade *precisa* ser cultivada. Devemos aperfeiçoar um dom repetidamente: pintar, escrever, entender o funcionamento de um computador, jogar golfe, amar, criar os filhos. Somente com muita dedicação conseguiremos realizar nosso potencial. E isso só é possível quando temos paciência com nosso progresso, por mais lento que ele seja.

Um estudo recente confirma isso. Um pesquisador da Universidade da Flórida descobriu que, em média, são necessários dez anos de prática para adquirir a perícia de um especialista. Isso requer muita paciência!

Há dois anos, o Instituto Gallup apresentou um estudo pioneiro sobre a excelência. Numa pesquisa com cerca de dois milhões de entrevistados, o Instituto chegou à conclusão de que as pessoas que se sobressaem conhecem seus pontos fortes e investem neles. Elas não se preocupam em desenvolver seus pontos mais fracos, concentrando esforços em suas aptidões especiais até as terem maximizado.

Assim como o vinho, que vai ficando cada vez melhor à medida que envelhece, também a paciência, com o tempo, vai atingindo todo o seu potencial. Praticando-a, podemos oferecer nossa contribuição especial ao mundo. E é recebendo o que cada um tem de melhor que o planeta progride.

A PACIÊNCIA NOS COLOCA EM HARMONIA COM OS CICLOS DA NATUREZA

A paciência de esperar é possivelmente a maior sabedoria de todas: a sabedoria de plantar uma semente e esperar a árvore dar frutos.

JOHN MACENULTY

Eu estava trabalhando com uma mulher que passara sua vida perseguindo o sonho americano: tinha frequentado uma boa faculdade, arrumado um emprego com um salário excelente e galgado as etapas para um cargo superior. Então, aos quarenta e poucos anos, ela olhou para trás e, ao ver suas realizações, elas lhe pareceram bastante inexpressivas. Nada em sua vida, exceto seu papel de mãe e de esposa, parecia ter qualquer sentido. Ela largou o emprego e veio me procurar para descobrir o que devia fazer.

Comecei mostrando-lhe que, assim como todos os seres vivos, as pessoas atravessam estações – a primavera das novas possibilidades, quando tudo parece excitante e fresco; o verão da realização, quando estamos cheios de energia e criatividade; o outono do desencantamento, quando começamos a perder o interesse; e o inverno do descontentamento, quando nos sentimos vazios, com medo de ter perdido o entusiasmo pela vida. Ela estava no inverno.

Esse é um processo natural que todos nós vivenciamos, mas, por estarmos tão acostumados a nos dissociarmos da natureza, não percebemos esse ciclo. Por isso tentamos permanecer sempre no verão e recorremos a medicamentos, distrações ou a qualquer outro recurso que possa nos impedir de entrar no outono ou no inverno.

No entanto, esse ciclo representa o processo de crescimento de qualquer ser vivo, e, se não nos harmonizarmos com cada estação quando ela chega, jamais cresceremos. Pois é somente quando nos desvencilhamos dos nossos velhos costumes, das nossas antigas prioridades e das mesmas preocupações que criamos espaço para o novo.

Como qualquer jardineiro sabe, os ciclos da natureza exigem paciência. Você não pode plantar uma semente e esperar que ela floresça no dia seguinte. Você não pode puxar as folhas ou abrir as pétalas do botão para acelerar o desabrochar de uma rosa. Tudo requer tempo. Nós também precisamos de tempo.

Quando exercitamos a paciência, nos alinhamos melhor aos ritmos naturais da vida. Nós nos lembramos de que "há uma estação para tudo" e deixamos de tentar fazer a vida ser diferente do que é. O inverno dura o tempo que for necessário, mas sempre acaba – assim como o verão. Essa é a lei da natureza.

Foi isso o que eu disse à mulher que me procurou, desesperada, e me perguntou quando acabaria o seu inverno pessoal. Respondi que não sabia quando, mas tinha certeza de que terminaria, e que, tal como um jardineiro, havia algumas coisas que ela poderia fazer para se preparar para a primavera. Coisas como examinar o que realmente era importante para ela, que dons possuía e que tipo de legado queria deixar. O inverno é a época ideal para nos prepararmos para o que virá, mesmo que ainda não saibamos muito bem o que será.

A mulher e eu nos encontramos por quase um ano. Ela se esforçou e cultivou sua paciência. Por fim, animou-se com a possibilidade de um novo negócio e foi atrás dele. Pouco tempo depois recebi um cartão dela. Era um desses cartões com sementes de flores incrustadas no papel. Dentro dele vinha um bilhete: "Obrigada por ter me ajudado a manter a fé de que a primavera chegaria novamente. Estas sementes representam aquelas que você me ajudou a descobrir quando parecia não haver nenhuma."

Nós somos sistemas vivos, parte da natureza, e tão sujeitos a seus ciclos quanto o carvalho mais majestoso ou o menor inseto. A paciência nos ajuda a sentir essa relação.

A PACIÊNCIA NOS AJUDA A TOMAR DECISÕES MELHORES

Um punhado de paciência vale mais do que um monte de cérebros.

PROVÉRBIO HOLANDÊS

Era madrugada. Minha filha, Ana, de dois anos, estava com muita febre. Tínhamos lhe dado um antitérmico e a colocamos para dormir entre nós dois. Meia hora mais tarde, ela acordou chorando. Entrei em pânico e, aos gritos, mandei meu marido correr para o banheiro (cerca de cinco passos de distância) e pegar o termômetro. Don foi e voltou calmamente, e com tranquilidade verificou a temperatura de nossa filha. Não tinha subido, mas a minha tinha – eu estava furiosa!

Assim que Ana adormeceu de novo, estourei com ele.

– Não posso acreditar que você tenha andado tão devagar. Era uma emergência! Você não conseguiria se apressar nem mesmo se a sua vida ou a de sua filha dependesse disso!

Com serenidade, ele respondeu:

– Ela estava histérica, e você, apavorada. Achei que a melhor coisa a fazer era permanecer o mais calmo possível. Correr não me teria feito apanhar o termômetro mais depressa, e só ia aumentar a agitação. Agindo do jeito que agi, levei menos de um minuto.

Olhei para ele. Estava calmo, concentrado. Meu coração tinha disparado, eu suava e sentia vontade de chorar. Mas deu para perceber que naquele momento Don tinha muito mais condições para lidar com uma emergência. Eu sabia que em uma crise é muito melhor manter a calma do que correr de um lado para o outro em pânico. Com agitação e histeria, os sentimentos bloqueiam a parte racional do cérebro capaz de tomar decisões sensatas.

Se eu não tivesse entrado em pânico e conseguisse manter a calma, teria podido decidir se seria melhor levar Ana para um hospital ou ajudá-la a dormir de novo. Em vez de esperar um minuto para constatar os fatos – a temperatura dela não tinha subido –, eu disse a mim mesma que algo terrível estava acontecendo e disparei o meu botão interior de pânico.

A paciência nos ajuda a tomar decisões melhores porque nos mantém longe das histórias amedrontadoras que prejudicam nosso julgamento. As piores e mais apavorantes fantasias invadem nossa mente, causando tensão e pânico ante uma situação imaginária. É impossível fazer uma escolha adequada nesse estado.

Se tivermos paciência, enfrentaremos a vida da seguinte maneira: algo está acontecendo, e o resultado tanto pode ser ruim quanto bom. De qualquer forma, o importante é saber lidar com ele. Ficar nervoso ou estressado prejudicará nossa ação. Como disse Mark Twain: "Os piores problemas que tive em minha vida foram aqueles que nunca aconteceram."

Desperdicei uma grande quantidade de tempo e energia me preocupando com coisas que nunca chegaram a acontecer, só porque não tive paciência para ver como elas seriam de fato. Por isso, foi um grande alívio descobrir que quanto mais eu exercito a paciência, mais calma me sinto. E quanto mais calma me sinto, melhor posso avaliar uma situação antes de me inquietar e entrar em pânico.

Se a prática da paciência não me trouxer outra recompensa além da capacidade de tomar decisões melhores, especialmente em uma crise, ela já terá valido a pena.

A PACIÊNCIA NOS CONECTA COM A ESPERANÇA

A paciência é a arte da esperança.

LUC DE VAUVENARGUES

Preso por lutar contra o apartheid, Nelson Mandela passou 27 anos em prisões da África do Sul. Apesar de viver durante todos esses longos anos em condições degradantes de abuso e de falta de comida (quando chegou à infame prisão de Robbins Island, os guardas urinavam em cima dele e diziam "Você vai morrer aqui"), ele nunca se voltou contra os brancos. Nunca desistiu do sonho de uma sociedade em que negros e brancos pudessem viver em liberdade e harmonia, e nunca perdeu a esperança de um dia ser libertado.

Escreveu em um diário que mantinha na prisão: "Um dia voltarei a sentir a grama sob meus pés e caminharei ao sol como um homem livre." Para ele, esperança significava "manter a cabeça voltada para o sol e os pés se movendo para a frente. Houve muitos momentos de desespero em que a minha fé na humanidade foi severamente testada, mas eu não podia me entregar ao desespero".

Na tribo de Mandela são os avós que dão nome aos netos. Quando nasceu sua neta, ele, que não vira a filha por quase duas décadas, deu-lhe o nome de Azwie – Esperança. "Esse nome tinha um significado especial para mim", escreveu em sua autobiografia *Longo caminho para a liberdade,* "porque durante todos os meus anos na prisão a esperança nunca me abandonou. Eu tinha certeza de que essa criança faria parte de uma nova geração de sul-africanos para os quais o apartheid seria uma memória distante."

Após dez mil dias, aos 71 anos, Nelson Mandela foi finalmente libertado e partiu para conduzir a África do Sul a uma verdadeira democracia, sem o extenso assassinato de brancos por negros que a minoritária população branca temia. "Nunca deixei de acreditar que essa grande transformação ocorreria", disse Mandela. "Eu sempre soube que no fundo de todos os corações humanos há compaixão e generosidade... A bondade humana é uma chama que pode ser abafada, mas jamais extinta."

A vida de Nelson Mandela é um dos maiores exemplos do poder da paciência. Com calma e persistência, ele ajudou a realizar um milagre para si mesmo e para os outros 43 milhões de negros e brancos que vivem na África do Sul. Em seu discurso de posse como presidente, ele elogiou "as pessoas simples e humildes deste país. Vocês demonstraram uma grande calma e paciente determinação para reivindicar este país como seu".

Sob extrema pressão, Nelson Mandela se valeu de algo vital no espírito humano: a capacidade de ter esperança que nos permite trabalhar pacientemente por um objetivo que talvez nunca seja alcançado.

"E se esperamos o que não vemos, é na perseverança que o aguardamos", lê-se em Romanos 8:25. Por causa da esperança, temos paciência para perseverar e lutar por aquilo que desejamos – estudar para formar-se, escrever um livro, tecer uma colcha, plantar um jardim – porque acreditamos na possibilidade de um bom resultado. Sem a esperança, não tentaríamos nada, nem nos empenharíamos, porque nos faltariam os recursos emocionais e espirituais para aplicar a energia necessária na conquista dos resultados.

A pesquisa científica confirmou a conexão entre a esperança e a paciência. Embora tenham a mesma capacidade intelectual, os alunos mais otimistas se saem melhor do que seus colegas pessimistas. O motivo está ligado à persistência – a esperança lhes dá disposição para continuar tentando. Os pessimistas, diante de uma dificuldade ou derrota parcial, desistem.

A escritora Iyanla Vanzant nos incentiva a lembrar que "um atraso não significa uma recusa". O que o seu coração deseja? Será que o que ele quer vale a pena? Com a paciência, inundamos de esperança a escuridão da espera para que um dia o desejo de nossos corações se realize plenamente.

A PACIÊNCIA NOS AJUDA A VIVER VIDAS MAIS LONGAS E LIVRES DE ESTRESSE

A sua biografia se torna a sua biologia.

CAROLINE MYSS

Um amigo veio me visitar para dizer que estava pedindo demissão de um emprego muito bem remunerado, mas extremamente estressante. "Ele está me matando", falou. "Minha pressão está altíssima e me sinto totalmente esgotado. Ignorei meu corpo o quanto pude, mas quando o médico me advertiu que eu estava correndo o risco de sofrer um infarto, decidi prestar atenção."

Não consegui achar nenhuma pesquisa sobre os efeitos fisiológicos da paciência. Mas há muitas sobre os efeitos da impaciência, sobretudo sobre o estresse e a raiva. Elas demonstram que pessoas zangadas são uma vez e meia mais propensas a ter câncer, e entre quatro e cinco vezes mais sujeitas a sofrer de problemas cardíacos. Os efeitos biológicos da raiva e do estresse incluem batimento cardíaco mais acelerado, aumento da pressão sanguínea e maior acidez estomacal.

Quando sentimos raiva, nosso cérebro se excita e, para nos preparar para a luta, aumenta a quantidade de hormônios do estresse e os lança na corrente sanguínea. Os cientistas descobriram que isso resulta no enfraquecimento do sistema imunológico, em especial das células responsáveis pelo combate às infecções do corpo. Os músculos se contraem, as veias se estreitam e o coração precisa trabalhar mais para fazer o sangue circular. É por isso que nessas ocasiões você sente o coração batendo mais forte.

Por outro lado, quando estamos calmos, nosso sistema de defesa desliga. Os músculos relaxam, os vasos sanguíneos se dilatam, a pressão arterial diminui e o batimento cardíaco desacelera. O sistema imunológico volta a funcionar bem e a produzir o número de células necessárias para o combate às infecções, o que afasta as doenças e contribui para uma vida mais longa e saudável.

A paciência nos permite manter a calma em situações de estresse, sejam elas causadas por circunstâncias externas ou pelo estresse interior da raiva. Ela tira o pé do acelerador do nosso sistema nervoso e o deixa descansar. Como Robert Sapolsky aponta em *Why Zebras Don't Get Ulcers* (Por que as zebras não desenvolvem úlceras), o sistema de defesa é importante para a nossa sobrevivência – ele nos ajuda a fugir do perigo, por exemplo. Só que é projetado para funcionar de vez em quando, e não para estar sempre ligado.

Por causa do estilo de vida atual, corremos o risco de estar com o sistema ativado quase o tempo todo – no trânsito, com um prazo final de trabalho apertado, nas discussões com nossos entes queridos –, o que extenua nossos corpos e nossas mentes. Por isso, a prática da paciência é uma das melhores coisas que podemos fazer por nossa saúde. Quanto mais soubermos nos desviar dos golpes da vida e tolerar as peculiaridades dos outros seres humanos, menos estresse experimentaremos. E se isso significa melhor qualidade de vida, vale a pena tentar!

A PACIÊNCIA NOS AJUDA A DESPERDIÇAR MENOS TEMPO, MENOS ENERGIA E MENOS DINHEIRO

Com tempo e paciência, a folha da amoreira
se transforma num vestido de seda.
PROVÉRBIO CHINÊS

Há muitos anos meu marido e eu construímos uma casa em um terreno em aclive. O empreiteiro contratado para fazer as fundações estava sobrecarregado. Na pressa de acabar antes de as chuvas começarem, ele não nivelou as fundações nem as colocou no local adequado. E também na pressa de ver a obra terminada antes de as chuvas chegarem, nós não observamos isso.

O resultado dessa pressa não podia ser outro. O erro nos custou anos de aborrecimentos e nos fez despender tempo, dinheiro e energia. Foi um erro de grandes dimensões causado por falta de paciência. No meu cotidiano eu vivencio diversos tipos de pequenos erros toda vez que faço algo com pressa ou pulo etapas necessárias. E aí preciso começar tudo outra vez.

Ontem à noite, isso aconteceu de novo. Eu preparava um complicado molho de manga para o jantar, com a minha pressa habitual. O último ingrediente era o sal. Não prestando a devida atenção, coloquei muito sal e precisei jogar o molho fora e recomeçar. Além do aborrecimento com a perda de tempo, fiquei irritada comigo mesma por ter me apressado mais uma vez.

Foi um erro idiota que me custou dez minutos e um dólar. Mas quanto tempo e dinheiro nós perdemos coletivamente por causa da impaciência? A NASA me vem à mente. Na pressa de concluírem um projeto, os cientistas fizeram alguns cálculos em centímetros e outros em polegadas. Como consequência, um satélite de milhões de dólares não atingiu o objetivo. Que horror!

Hoje em dia, valorizamos de tal forma a velocidade que aceitamos, como naturais, erros absurdos. Muitas vezes a mídia tira conclusões precipitadas antes mesmo de os fatos estarem confirmados, apenas para se antecipar aos concorrentes. Os fabricantes de software preferem lançar programas que eles sabem estar cheios de falhas e responder às reclamações dos clientes do que "perder tempo" procurando solucionar previamente os problemas. Por quê? Porque investidores impacientes farão com que o preço de suas ações despenque se eles anunciarem que não irão cumprir o prazo.

A impaciência pode nos ferir fisicamente também. "Todas as vezes que me machuco", uma mulher me escreveu, "posso invariavelmente olhar para trás e ver que aquilo aconteceu só porque eu estava com pressa. Torci um tornozelo correndo para pegar o ônibus. Distendi os músculos das costas fazendo ginástica com pressa para tentar chegar ao escritório dez minutos mais cedo. Os dois acontecimentos acabaram consumindo muito mais tempo do que os poucos minutos que eu estava tentando economizar."

É preciso tomar consciência de que a valorização da pressa é uma armadilha de que precisamos escapar. Diz um velho ditado: "A pressa gera o desperdício." Ele é tão válido hoje quanto no dia em que foi enunciado pela primeira vez. Isso porque, como constatou a mulher que me escreveu, a pressa nos faz cometer erros que não cometeríamos se tivéssemos tido calma. E dessa forma acaba consumindo mais tempo.

Por causa do ritmo apressado em que vivemos, talvez devêssemos mudar o velho ditado para outro que ouvi de uma mulher sábia: "Apresse-se – lentamente."

A PACIÊNCIA NOS AJUDA A CONSEGUIR AQUILO QUE QUEREMOS

Você pega mais moscas com mel do que com vinagre.

ANÔNIMO

Eu estava em pé na fila em Toronto, Canadá, esperando para passar pela alfândega e pegar o avião de volta para casa. Meu voo estava marcado para decolar em uma hora, e a fila avançava muito devagar. Muito devagar. Eu me ausentara durante cinco dias e estava preocupada com minha filha que ficara em casa com um forte resfriado e sentindo muito a minha falta. Meu antigo eu teria se irritado e se exasperado, fazendo com que eu e todos ao meu redor ficássemos infelizes.

Mas naquela vez decidi fazer uma experiência. O que aconteceria se eu agisse como se tudo fosse, de alguma forma, dar certo? Assim, esperei enquanto a fila se arrastava. Após cerca de trinta minutos, puxei conversa com o homem que estava à minha frente. "Pelo menos já estamos quase chegando", comentei, olhando a porta diante de nós. "Ah, não", ele respondeu, "esta é apenas a fila para entrar na fila."

Naquele momento, um dos funcionários da alfândega veio explicar que a demora se devia a problemas com o sistema da rede de computadores. Eu disse a mim mesma para manter a calma, na expectativa de um resultado feliz. Quando faltavam 15 minutos para a decolagem, os funcionários da alfândega chamaram: "Todos os passageiros para Denver, por aqui."

Lá fui eu esperar em uma fila menor.

Finalmente chegou a minha vez. Dirigi-me a uma jovem no computador. Ela parecia cansada. Muito cansada. Senti um rompante de simpatia e sorri dizendo "Dia difícil, hein?". "Sim", ela respondeu, carimbando meu passaporte e me mandando prosseguir.

Só então notei que a tela do computador da jovem estava escura. A rede se encontrava fora do ar, e ela deveria ter me deixado esperando para verificar meu passaporte. Meu sorriso e minha solidariedade a conquistaram, e ela me deixou passar – na horinha exata para pegar meu avião.

Esse incidente não me sai da cabeça. Ele me mostrou que quando praticamos a paciência, aumentamos as chances de conseguir o que queremos. Se eu tivesse manifestado exasperação ou reclamado agressivamente, provavelmente teria perdido o voo. Ao optar pela paciência, fui capaz de tratar a moça com gentileza e consideração, o que fez com que ela me tratasse da mesma forma.

Lembrei-me disso recentemente quando uma amiga me contou sobre um aborrecimento que teve com o homem que consertara um aparelho em sua casa. Insatisfeita com o serviço, ela telefonou para a empresa pedindo que devolvessem o que tinha pago. Indignada, reclamou, gritou e, por fim, desligou na cara da outra pessoa. "Depois, telefonei para o meu marido", ela relatou, "que tem mais paciência do que eu. Ele ligou para a empresa, falou calmamente com o gerente e, para nossa surpresa, recebemos o dinheiro de volta."

Desde aquele acontecimento na alfândega, já ouvi todos os tipos de histórias sobre como a paciência ajuda uma pessoa a conseguir o que quer: o homem que recebeu seu laptop de volta após tê-lo esquecido no avião, só porque foi gentil com os dez funcionários com quem teve de falar para chegar à pessoa certa; o proprietário de um restaurante movimentado que escolhia as melhores mesas para os fregueses que sabiam esperar; o casal que conseguiu isenção das tarifas bancárias por ter resolvido, com educação, uma confusão feita pelo banco.

Durante muito tempo acreditei no ditado "O bezerro que berra mama". Agora vejo que muitas vezes tudo o que o berrador consegue é ser evitado ou levar um fora. Hoje em dia, uso minha paciência para espalhar mais mel do que vinagre, e os resultados têm sido muito agradáveis.

A PACIÊNCIA NOS PROTEGE CONTRA A RAIVA

Paciência é a capacidade de esperar o motor esfriar, quando você gostaria de desmontar a caixa de marchas.

MICHAEL LEFAN

Era uma daquelas ocasiões que você provavelmente já presenciou em um supermercado. Uma mãe, exausta após um dia difícil no trabalho e precisando comprar algo para o jantar, corre pelos corredores seguida por um filho de três anos. O menino, com fome e cansado, inicia um ataque. Ele quer um determinado cereal vetado pela mãe por conter muito açúcar. "Eu *quero* muito açúcar, eu *quero* muito açúcar", ele grita, se jogando no chão. A mãe reage agarrando-o pelo braço e arrastando-o para fora do supermercado. Mãe, filho e fregueses que assistem à cena acabam estressados.

Somente quando comecei a estudar sobre a paciência mais profundamente é que descobri como a raiva e a paciência estão relacionadas. Na realidade, a raiva é consequência direta da nossa perda de paciência.

É precisamente por não suportarmos algo ou alguém que ficamos com raiva: "Por que você fica estalando seus dedos quando sabe muito bem que esse barulho me irrita?" "Por que você diz 'adorável' com essa voz afetada para tudo o que acontece?" "Por que meu plano de seguro-saúde leva tanto tempo para me reembolsar?" Ficamos com raiva porque não queremos aceitar essas coisas.

Talvez isso seja óbvio para muita gente, mas foi uma grande descoberta para mim. Eu sabia que frequentemente me impacientava e às vezes perdia a calma, mas não imaginava que as duas coisas estivessem relacionadas. Agora sei que a impaciência é o ponto de partida que passa para a irritação, que leva à raiva e acaba na fúria.

Isso quer dizer que o oposto também é verdadeiro. Quanto mais pacientes formos, menos irritação, raiva e fúria sentiremos. Se a pobre mãe no supermercado tivesse tido um pouco mais de paciência, poderia ter evitado a reação agressiva. Se conseguisse achar graça no pedido absurdo do filho que queria "muito açúcar", se tentasse distraí-lo ou apenas procurasse manter-se calma até o ataque acabar, o estresse seria menor para todos. Certamente exigiria um esforço, mas o ganho compensaria.

Isso não quer dizer que toda raiva é negativa. Ante uma situação de injustiça, exploração ou abuso, nossa impaciência pode ser um sinal de aviso saudável de que nossos limites foram violados e de que precisamos reagir. Mas ainda aqui cabe um esforço: o de dar eficiência à nossa raiva e indignação, assumindo atitudes firmes e expressando nosso protesto de forma objetiva.

Estou me referindo à irritação normal e à raiva que sentimos por falta de tolerância em relação a pessoas, lugares ou acontecimentos que ocorrem em nossa vida diária. Você pode pensar em uma série de situações – a paciência de que precisamos muitas vezes para lidar com nossos pais ou com nossos filhos, a persistência para obtermos um documento emperrado na burocracia, a tranquilidade para reivindicarmos a troca de uma peça defeituosa sem gritar com a pobre atendente do outro lado da linha. Quando exercitamos a paciência, podemos julgar melhor se está na hora de expressarmos claramente nossa indignação ou se devemos respirar fundo e nos controlar para adotar a atitude mais eficiente.

Há um provérbio irlandês que diz mais ou menos assim: "Quando você está com raiva, você carrega o peso, enquanto a outra pessoa se diverte." Quanto mais cultivamos a paciência, menos raiva carregamos e mais leves e alegres nos sentimos.

A PACIÊNCIA NOS DÁ MAIOR TOLERÂNCIA E EMPATIA

Se a pessoa com quem você está falando
parece não estar escutando, seja paciente.
Talvez ela esteja simplesmente
com um chumaço de algodão no ouvido.

PEQUENO LIVRO DE ENSINAMENTOS DE POOH

Eu estava em uma empresa conduzindo uma sessão de treinamento sobre a diversidade de pensamento. Explicava que, embora todos tenhamos o mesmo equipamento – um cérebro –, não o utilizamos da mesma maneira. Cada um de nós absorve e interpreta o mundo de uma forma específica. É importante tomar consciência dessas diferenças para entender o que nos frustra na relação com colegas, patrões, esposas, maridos e filhos.

Uma mão se levantou. "A senhora quer dizer", falou um educado participante, "que meu filho não está tentando me desafiar quando não me olha de frente enquanto falo com ele? E que meu patrão não é um imbecil por não responder aos meus memorandos? Que, se eu expusesse verbalmente as minhas ideias, teria muito mais chance de obter sucesso?"

"Sim", respondi, "é exatamente isso o que eu quero dizer".

No nosso dia a dia – no trabalho, em casa, no supermercado, no condomínio e em jantares sociais – encontramos muitas pessoas. E, repito, é fundamental estarmos bem conscientes de que elas são diferentes de nós. Não apenas na forma pela qual seus cérebros processam as informações. Elas também possuem prioridades, motivações, histórias e culturas diferentes. Teoricamente, todos sabemos disso, mas, na realidade, a maioria esquece ou não acredita nesse fato. Por isso, gastamos uma imensa quantidade de energia tentando fazer com que as outras pessoas pensem e ajam da maneira que achamos que deveriam pensar e agir.

"Por que os outros não conseguem ser como eu?" é a pergunta que nos ocorre. Meus amigos! Eles *não são*, e é aí que a paciência entra. Ela ajuda a tolerar as diferenças entre você e todas as outras pessoas que cruzam o seu caminho.

Essa tolerância é um desafio e uma riqueza. Ela nos faz abrir mão de nossas convicções sobre como a outra pessoa *deveria* ser e nos faz querer descobrir como ela realmente *é*. Nesse processo, temos uma preciosa aliada: a paciência.

A paciência, que segura nossa irritação ante as diferenças, é o caminho para a empatia – a capacidade para colocar-se no lugar do outro e reconhecer e acolher seus sentimentos. Isso acontece porque, como diz Daniel Goleman em *Inteligência emocional*, "a empatia requer bastante calma e receptividade para que os sutis sinais dos sentimentos da outra pessoa possam ser recebidos e entendidos por nosso cérebro". Em outras palavras, quanto mais pacientes formos, maior será nossa capacidade de compreender os outros e colocar-nos em seu lugar.

A empatia nos permite ver o outro como realmente é, com todas as suas qualidades exclusivas, em vez de tentar transformá-lo em alguém diferente. Por exemplo, em vez de se aborrecer pelo fato de seu companheiro de equipe se mover tão lentamente, você pode se perguntar quais são os benefícios que podem resultar dessa característica. Ao fazer isso, você talvez perceba que ele é lento por tomar muito cuidado com tudo o que faz.

Essa capacidade para a empatia por meio da paciência tem magníficas consequências não apenas para nós como indivíduos, mas para a paz da comunidade global. A empatia, declara o pesquisador Martin Hoffman, "é a verdadeira base da moralidade". Isso porque a capacidade de sentir a dor dos outros e compreender suas atitudes nos faz agir de acordo com os princípios morais.

Dessa forma a paciência nos permite viver de maneira mais harmoniosa com os membros da família, com os vizinhos, com amigos e colegas de trabalho, sabendo e aceitando que eles são diferentes em muitos aspectos. A paciência faz com que sintamos mais curiosidade e fascínio pela variedade da natureza humana e que sejamos muito mais capazes de abrir nossos corações para tudo.

A PACIÊNCIA NOS AJUDA A TER RELACIONAMENTOS AMOROSOS MAIS FELIZES

O amor é paciente e gentil.

SÃO PAULO – PRIMEIRA CARTA AOS CORÍNTIOS

Tenho uma amiga que é especialista em se apaixonar. Ela mesma se rotula "uma trágica romântica". Atrai um homem com a maior facilidade, apaixona-se perdidamente por ele e, a seguir, rejeita-o por causa de alguma imperfeição fatal: ser jovem demais, baixo demais, não ganhar bastante dinheiro, e por aí afora. Uma vez ela me disse que não conseguiria casar com o homem com quem estava saindo porque ele deixava a toalha molhada no chão do banheiro!

Eu costumava considerar bobos alguns de seus motivos, mas acabei chegando à conclusão de que eles se resumiam num só: ela não amava suficientemente a pessoa para aceitar suas falhas. Por algum motivo, nenhuma delas provocava a sua capacidade de exercer a paciência.

Fundamentalmente, você não pode amar sem praticar a paciência. Como a minha amiga vivenciou inúmeras vezes, você pode se apaixonar e viver aquele período de exaltação em que o cérebro inunda seu corpo com endorfinas e em que tudo parece ser possível. Mas essa incandescência inevitavelmente diminui e você, com todas as suas idiossincrasias, se vê frente a frente com outro ser humano com todas as suas peculiaridades. É nesse momento, se vocês estão tentando negociar uma vida a dois, que ocorrem os atritos e que a paciência entra em ação.

Durante o longo percurso de um relacionamento, passamos boa parte do tempo convivendo com os defeitos do outro: ele palitar os dentes em público; ela ser uma consumidora compulsiva; as roupas dele nunca combinarem e ele sempre se atrasar para os compromissos; ela se pendurar no telefone com as amigas em vez de ficar vendo televisão com ele.

As pessoas são capazes de mudar, mas só até certo ponto, e raramente tanto quanto gostaríamos. O segredo da felicidade está em achar graça nessas pequenas características e carinhosamente começar a expressar aquilo que nos incomoda demais. Só mesmo o amor é capaz de nos ajudar a transportar barris cheios de paciência para aquelas ocasiões em que ele conta a mesma piada que você já ouviu duzentas vezes, ou ela chega em casa cheia de sacolas de compras outra vez.

O que é fascinante sobre a paciência no amor é que, quando aceitamos o outro como ele é de fato, aumentamos a possibilidade de uma mudança. Isso ocorre porque, quando nossos parceiros nos aceitam como somos – com qualidades e defeitos –, nós nos sentimos seguros e acolhidos, o que promove mudança e crescimento. Essa aceitação só se dá quando há paciência.

A paciência aumenta também as chances de duração de nossos relacionamentos. Em um estudo sobre adultos que tiveram um aproveitamento escolar baixo quando estavam no ensino médio (caracterizado pela baixa persistência) descobriu-se que eles apresentavam 50% mais de chance de se divorciarem nos 13 anos após o término do curso do que seus colegas de classe. Isso significa que as pessoas que não usam a paciência em uma determinada área tendem a desistir do amor mais cedo do que aquelas que aprenderam a persistir em outras situações.

A paciência é a liga que mantém o amor unido e que suaviza as arestas, permitindo assim que este amor cresça e se desenvolva.

A PACIÊNCIA NOS TORNA PAIS MELHORES

Deus envia as crianças não apenas para manter a raça, mas para expandir nossos corações e nos tornar generosos, amáveis e afetuosos.

MARY HOWITT

Um pai muito ocupado estava tentando não se atrasar para levar à escola sua filha de três anos. "Eu estava ficando impaciente porque ela ficava rindo em vez de colocar as meias. Por fim, perdi a paciência e gritei: 'Anda! Estou falando sério. Pare de rir.' Ela me olhou com a carinha zangada e me imitou: 'Anda! Estou falando sério. Pare de rir.'

"Naquele momento, eu me dei conta de que estava dando mais valor à velocidade do que ao prazer. O jeitinho sério da minha filha me fez rir. Ela voltou à carga: 'E pode parar de rir. Estou muito zangada com você!'"

Existe algo mais encantador do que as crianças? Elas dizem coisas tão afetuosas, cobrem você de beijos e abraços, querem tanto agradar. Observar suas descobertas e avanços é sempre um prazer.

Existe algo tão exasperador quanto as crianças? Elas derramam suco de uva em seu tapete branco novinho em folha, fazem as mesmas perguntas repetidamente e transformam ações corriqueiras, como escovar os dentes, em incessantes lutas pelo poder. Estar perto delas pode ser um tormento.

Como todos os pais sabem, criar filhos requer inúmeras habilidades. Precisamos ser professores, disciplinadores, instrutores, amigos – e saber quando cada uma dessas habilidades deve entrar em cena. Além disso, frequentemente precisamos tomar decisões imediatas e decidir que atitude assumir, enquanto realizamos milhares de outras coisas.

Se isso já não fosse pressão suficiente, hoje em dia sabemos mais sobre os danos que podemos causar. Cem anos de pesquisas sobre o desenvolvimento emocional revelam que nós, pais, determinamos, pelo menos até certo ponto, se nossos filhos se tornarão seres humanos produtivos, capazes ou não de se tornarem bem-sucedidos no amor e no trabalho.

Nesse complexo processo de criar os filhos, a paciência é um dos nossos maiores aliados. Ela nos permite continuar a acalentar uma criança que está chorando há uma hora, ler a mesma história pela milionésima vez, reagir com calma quando nosso adolescente chega em casa com o cabelo roxo.

Como mãe, não houve um único dia em que a minha paciência não tivesse sido testada – e olha que eu tenho uma filha bem tranquila. Mas testar a nossa paciência faz parte do crescimento de nossos filhos. Pais e filhos passam a vida envolvidos em lutas: as crianças, para testar até que ponto conseguem ir; os pais, para criar um círculo de segurança e o ampliarem com sabedoria enquanto os filhos amadurecem.

Por tudo isso a paciência é de enorme importância. Ela nos permite parar no meio dessa batalha entre independência e segurança para avaliar qual é a melhor atitude. Ela nos permite pensar antes de agir, o que é crucial nesse relacionamento no qual temos tanto poder.

Nossos filhos estão nos pedindo para sermos mais pacientes. Em um estudo sobre o equilíbrio trabalho-vida, efetuado em 1999 por Ellen Galinsky, descobriu-se que uma das coisas que a maioria das crianças desejava era que seus pais estivessem menos estressados quando chegassem em casa do trabalho.

Por mais que tentemos, jamais seremos pais perfeitos. Tudo bem, é assim mesmo. Mas precisamos nos empenhar para fazer o melhor possível. A paciência nos ajuda a alcançar este objetivo – sermos suficientemente bons para que nossas reações de amor, carinho e sabedoria sejam mais numerosas do que as negativas e prejudiciais.

A PACIÊNCIA ENSINA O PODER DA RECEPTIVIDADE

A paciência é uma das qualidades "femininas" que têm como origem a nossa opressão, mas que deve ser preservada após a nossa libertação.

SIMONE DE BEAUVOIR

Mary Beth perdeu seu emprego no dia em que fazia 43 anos. Os dois anos anteriores tinham sido muito difíceis. Seu casamento acabara. A revista que lançara tinha fracassado um ano antes. Ela estava tentando desesperadamente colocar sua situação financeira em ordem de novo, e, por isso, a notícia da demissão foi muito dolorosa.

"Eu estava sem emprego, tinha três filhos em escolas particulares e uma hipoteca. Passei um mês frenético, enviando currículos, telefonando para colegas, esquadrinhando as seções de ofertas de emprego. Nada. Quanto mais eu procurava, mais frustrante era a busca.

"Então, numa manhã de setembro, eu parei. Acordei, levei meu café para o jardim e comecei a rezar: 'Deus, já tentei tudo. Agora, está em suas mãos aquilo que estiver destinado para mim.' Decidi que a única coisa a fazer era estar receptiva ao que viesse a acontecer. Escrevi histórias e as enviei a editores. Não houve resposta. Durante meses, depois de ter levado as crianças para a escola, eu ia para o jardim e passava uma hora rezando, esperando. Esperei até o pé de gerânio cor-de-rosa abrir o último botão em dezembro e o jardim estar completamente despido. Esperava e rezava. E continuava a escrever.

"Finalmente, em janeiro, surgiu um emprego ideal para mim. Na primavera, todas as histórias que eu tinha escrito no outono começaram a ser publicadas e os cheques voltaram a chegar na minha caixa de correio."

Quando comecei a estudar a paciência, fiquei surpresa ao constatar como ela me parecia frágil. Ao contrário da bondade, da gratidão ou da generosidade, que estão relacionadas a coisas que você *faz*, a paciência tem muito a ver com as coisas que você *não* faz. Tem a ver com segurar-se quando você quer se soltar, tolerar algo que parece insuportável e esperar que alguma coisa aconteça em vez de forçar a barra.

No entanto, à medida que me aprofundava, comecei a perceber como as minhas crenças eram um reflexo da cultura que valoriza a ação e a rapidez acima de tudo. Nós estamos sempre buscando a ação: conquistar a montanha; dominar o mercado; ganhar dinheiro o mais rápido possível; chegar ao topo da carreira. Nossas atitudes são voltadas para a ação, com uma conotação de agressividade viril.

O que não tendemos a valorizar em nossa cultura são as atividades mais receptivas, "femininas": esperar uma ocasião; abrir-se à intuição; aguardar o momento certo; permitir que a verdade nos penetre e nos mova. A paciência, como diz Simone de Beauvoir, faz parte da categoria de atitudes receptivas.

Não há nada de errado com a energia dinâmica – precisamos dela para realizar qualquer coisa. Mas, se apenas valorizamos a energia dinâmica, entramos num estado de desequilíbrio, como indivíduos e como sociedade. Temos pouco ou nenhum apreço pelo receptivo, que é o lugar onde paramos para refletir, para julgar se a ação é ou não apropriada, para esperar pelo momento certo. Achamos que não estamos "fazendo" nada quando estamos em atitude receptiva.

No entanto, o exercício receptivo da paciência é um trabalho de verdade! Esperar, não correr e não fazer algo só por fazer exige esforço. É preciso ter força interior para viver na incerteza o tempo que for necessário, sem zangar-se ou deprimir-se. Aparentemente pode parecer imobilismo ou acomodação, mas no íntimo estamos realizando um intenso trabalho. Os taoistas chamam essa atitude de *wu wei*, uma atividade sem ação, também traduzida como "sentar-se quieto sem fazer nada". Na antiga China, o *wu wei* era valorizado como uma das mais importantes realizações humanas.

A história de Mary Beth é muito significativa, porque demonstra que, às vezes, nenhuma quantidade de energia dinâmica nos trará o que queremos. Nessas ocasiões, tudo o que podemos fazer é parar e esperar pacientemente o desenrolar do futuro. Essa capacidade de esperar com esperança, entregando-nos nas mãos de Deus ou do universo, é o que chamamos de receptividade.

Nem tudo pode ser obtido através da força de vontade – às vezes, o que precisamos é de um pouco do poder da espera.

A PACIÊNCIA É A ESSÊNCIA DA CIVILIDADE

A paciência impulsiona.

LAMA SURYA DAS

Há alguns anos, uma amiga se tornou prefeita de sua cidade de 25 mil habitantes. Ela me convidou para uma reunião do conselho da cidade. Fui cedo, permaneci sentada observando os debates e logo me vi tomada de admiração. Que paciência têm esses cidadãos para analisar os mesmos problemas repetidamente, tentar solucionar necessidades urgentes com pouco dinheiro, pressionados por todos os lados por grupos de interesses que defendem suas posições! Pude ver nessa reunião que, embora os assuntos já tivessem sido vistos e revistos várias vezes, todos se tratavam de maneira respeitosa, falando e ouvindo atentamente.

No final da reunião, aplaudi internamente esses persistentes cidadãos que incansavelmente defendem o que acreditam ser correto. A seguir, comecei a pensar em todas as pessoas que pacientemente trabalham para manter nossa sociedade unida – os assalariados e voluntários que trabalham em operações não lucrativas, policiais, bombeiros, pacifistas, a lista é interminável.

Comparo essas pessoas com as de uma história que recentemente dominou o noticiário dos jornais. Depois de uma van subir na calçada e ferir três pedestres, sete homens puxaram o motorista e o passageiro para fora e os espancaram até à morte. Isso aconteceu em um bairro de classe média em Chicago; os homens acusados de homicídio tinham entre 16 e 47 anos.

Quando contemplo essa história horrível através da lente da paciência, o que me surpreende não é o que aconteceu, mas o fato de não ocorrer com mais frequência. Esses homens não conseguiram esperar pelo término do julgamento (o motorista, um homem de 62 anos, estava bêbado) e decidiram agir por conta própria, aplicando sua forma de punição. Essa história virou notícia porque é incomum, pois a maioria de nós, mesmo aqueles que já foram prejudicados, aprendeu a esperar pelos processos e pelas práticas da sociedade.

Na realidade, a sociedade só funciona porque grande parte das pessoas consegue exercer a paciência. Como estamos dispostos a ter paciência, em vez de avançar o sinal, esperamos o sinal ficar verde antes de prosseguir; aguardamos quando vamos a um grande evento, um jogo ou um show, em vez de empurrar as pessoas para entrar; respeitamos a ordem de chegada nas filas para sermos atendidos; reclamamos nossos direitos nos órgãos competentes e até pressionamos para obter mudanças e soluções, mas procuramos, de um modo geral, obedecer às regras.

Quando a paciência é praticada, a sociedade se mantém funcionando, com todas as suas falhas, mas de forma capaz de conciliar interesses e necessidades de bilhões de pessoas. É quando nos impacientamos – seja para ganhar dinheiro rapidamente, seja para passar na frente dos outros ou ainda para obter vantagens que prejudicam o bem-estar da coletividade – que o desequilíbrio e o caos se instalam.

A paciência está na essência da diplomacia, da civilidade, da obediência às leis e da ordem pública. Sem ela, as pessoas não conseguem trabalhar em conjunto, e a sociedade não funciona. Com ela, criamos a possibilidade de paz entre pessoas e nações.

A PACIÊNCIA FAZ NOSSAS ALMAS CRESCEREM

Jamais aprenderíamos a ser corajosos e pacientes
se houvesse apenas alegria no mundo.
HELEN KELLER

A médica e escritora Rachel Naomi Remen conta a história de um jovem que se rebelava contra o tratamento indicado para controlar a diabete. Ele reagia não se alimentando adequadamente nem tomando os remédios. Um dia, o jovem entrou no consultório de Rachel rindo. E contou um sonho que tivera. "Em meu sonho, vi a estátua de um jovem Buda. Apenas o fato de olhar para ele me acalmou. Então, de repente, um punhal passou ao meu lado e atravessou o coração do Buda. Fiquei chocado e arrasado. Enquanto eu olhava, aborrecido e zangado, o Buda começou a crescer. Ele cresceu e cresceu até ficar do tamanho de um gigante. O punhal continuava lá, mas, comparado ao Buda, parecia um palito."

Tenho duas amigas que dizem que o câncer de mama, por incrível que pareça, foi uma verdadeira bênção para elas. A primeira afirma que o fato de seu marido tê-la deixado constituiu, na verdade, um presente, pois o casamento estava acabado e ela não tinha coragem de separar-se. A segunda conta que, por causa do câncer, teve que deixar um emprego que detestava. Seriam elas masoquistas? Claro que não, pois, tal como aquele jovem, essas mulheres constataram que os obstáculos enfrentados, embora difíceis e dolorosos, foram os meios pelos quais elas cresceram como seres humanos e se tornaram mais atentas e conscientes. "Quando plantei a minha dor no campo da paciência", escreveu Kahlil Gibran, "ela gerou o fruto da felicidade."

O sobrevivente de um câncer e heptacampeão de ciclismo Lance Armstrong deu este depoimento: "Na verdade, o câncer foi a melhor coisa que já me aconteceu. (...) Durante a doença, consegui ver mais beleza, mais triunfo e mais verdade em um único dia do que jamais consegui perceber nas corridas em que fui campeão. (...) O que a doença me mostrou, como nenhuma outra experiência, é que somos muito melhores do que sabemos. Temos capacidades ignoradas que só aparecem nas crises."

Nenhum de nós quer enfrentar sofrimentos físicos, emocionais ou espirituais. Mas quando os sofrimentos surgem – e eles provavelmente surgirão, porque todos os seres possuem suas cotas de dor – temos duas opções: praguejar contra o que está acontecendo ou viver os momentos de dor, de medo e de raiva, engajando nossa paciência e deixando o desafio desenvolver nossa alma.

Norman Vincent Peale fala disso quando escreve: "Quando a dor ataca, frequentemente fazemos perguntas erradas, como: 'Por que eu?' As perguntas corretas são: 'O que posso aprender com isso? O que posso fazer a respeito disso? O que posso realizar apesar disso?'"

Quando nos deparamos com a frustração e a dor, estamos tendo a oportunidade única e privilegiada de descobrir recursos internos ignorados. Pare e tente lembrar-se de uma experiência difícil ou dolorosa que fez você crescer de alguma forma. Pense em um recurso que lhe permitiu atravessar aquele período. Nos seminários que conduzo, faço essa pergunta a centenas de pessoas, e todas conseguiram identificar pelo menos um recurso interior que desenvolveram como resultado de um sofrimento.

Tenho certeza de que as circunstâncias que testam a nossa paciência podem nos tornar seres humanos melhores. Para mim, o sofrimento aumentou minha capacidade de empatia – colocar-me no lugar dos outros para compreender seus sentimentos – e minha crença na bondade humana intrínseca. Esses recursos permanecerão comigo pelo resto da vida.

Quando um novo desafio surgir para testar a sua paciência, diga para si mesmo que ele é um estímulo para seu crescimento, e assim a paciência ajudará você a suportar melhor o tormento.

3

AS ATITUDES DA PACIÊNCIA

A maior descoberta da minha geração foi
a de que o ser humano pode alterar
sua vida alterando sua mente.
WILLIAM JAMES

Nós todos temos convicções muito arraigadas sobre a vida. Podemos não ter consciência, mas essas crenças direcionam nossas reações às pessoas e às circunstâncias com que nos deparamos. Quando essas convicções incentivam a paciência, vivenciamos a tolerância, a receptividade e a serenidade. Se elas estimulam a impaciência, não aceitamos com calma os desafios da vida.

Felizmente, como Sylvia Boorstein explica, "temos liberdade para escolher nossos estados mentais". Não precisamos obedecer cegamente a nossos pensamentos, podemos decidir quais atitudes desejamos manter. Isso não significa que não retornemos às nossas crenças limitadoras, porque elas estão muito enraizadas em nossas mentes. Mas, quando nos descobrirmos fazendo uma escolha que nos prejudica, podemos parar e recomeçar, lembrando das opções melhores, sem desanimar e sem nos culparmos, sabendo que o processo avança assim. Afinal, como a professora budista Yvonne Rand nos lembra: "A intenção de cultivar a paciência já é meia conquista."

EU AINDA ESTOU APRENDENDO

A tomada de consciência permite encarar a realidade para mudá-la.

ANTHONY DE MELLO

Eu estava me sentindo péssima. Tinha acabado de gritar com meu marido por causa de dinheiro, embora, no começo da conversa, tivesse me prometido que não perderia a paciência. Eu me sentia um fracasso, uma verdadeira fraude.

A sensação já era minha conhecida. Todas as vezes em que eu disse a mim mesma que deveria ser mais paciente e não fui, me senti péssima. Eu me atormentava por ter explodido. A seguir, jurava não fazer isso novamente, e tudo ficava bem – até a próxima vez. De repente, sem nenhum motivo, o Monstro da Impaciência surgia e atacava de novo. Eu sentia vergonha, fazia outra promessa, e o ciclo se repetia.

Eu poderia continuar dessa maneira até que, desesperada, me convenceria de que não tinha paciência. Felizmente, no entanto, recebi ajuda na forma de livros e conselhos de amigos. Esses conselhos tinham todos um ponto em comum: o que produz a verdadeira mudança é procurar ter consciência do que estamos fazendo sem nos julgarmos. A conscientização nos permite aprender. Em outras palavras, o caminho para cultivar mais paciência é nos vermos como aprendizes e considerarmos cada episódio de impaciência uma oportunidade de crescimento.

Nem sempre faremos o que é melhor. Explodiremos com nossos companheiros, gritaremos com nossos filhos, reclamaremos exasperados de uma falta de atendimento, buzinaremos para apressar os carros na nossa frente e faremos o maior escândalo por causa de uma meia no chão.

A questão não é perder a paciência, mas a forma como nos tratamos quando isso acontece. Nós nos recriminamos por não sermos perfeitos? Ou generosamente reconhecemos que a vida é um processo de aprendizagem e nos perguntamos o que poderíamos aprender com isso?

A paciência é aprimorada quando compreendemos a razão que nos fez perder a calma. Não estou falando da força de vontade que usamos tentando ser bons, pois inevitavelmente falhamos, desencadeando vergonha, sensação de culpa – e nenhum aprendizado. Em circunstâncias semelhantes, repetiremos a mesma atitude.

Quando nos vemos como aprendizes, procuramos compreender o que causou a perda de controle. Ao sermos tolerantes com nós mesmos, nos tornamos mais capazes de reagir positivamente à situação quando ela se apresentar de novo.

Na próxima vez que você perceber que está perdendo a paciência por causa de alguma coisa, em vez de culpar-se, tente perguntar a si mesmo: "Por que isso foi difícil para mim? Por que essa situação ou atitude causou uma reação tão exasperada?" Aqui estão algumas hipóteses. Quando perdemos a paciência com alguém, talvez essa pessoa esteja se permitindo algo que nós não nos permitimos fazer. Era o que acontecia com um pai que eu conheço. Seu filho adulto conseguia dizer com firmeza que não queria determinada coisa, e o pai, que tinha sido educado para ser submisso e obediente, perdia a paciência sempre que o filho expressava sua vontade.

Ou talvez a outra pessoa represente um aspecto de nós mesmos que rejeitamos. Em termos psicológicos, esse fenômeno é chamado de projeção. Ficamos impacientes e irritados com pessoas que representam traços nossos de que não gostamos.

Quando analiso a relação com meu marido, percebo que isso acontece. Eu me preocupo muito com dinheiro e fico extremamente irritada com a forma calma com que Don lida com nossas finanças. Cheguei a acusá-lo de irresponsável, quando isso não é verdade. Acabei descobrindo que eu gostaria de ter a tranquilidade dele, em vez de ser tão ansiosa em relação a dinheiro. Essa tomada de consciência não impede que eu de vez em quando perca a calma sobre assuntos financeiros, mas agora, que sei de onde vem a minha impaciência, isso acontece menos vezes.

Há uma enorme diferença entre sentir-se um fracassado e sentir que se tem algo a aprender. O sentimento de fracasso leva à imobilidade e ao desespero; a noção de aprendizagem, ao crescimento. Quando seus botões da impaciência são pressionados, procure ver isso como uma ocasião para aprender algo a seu respeito. Pergunte-se: "Por que tal coisa é difícil para mim?" Você vai se surpreender com os resultados dessa atitude.

A PACIÊNCIA É UMA DECISÃO

Se amarmos e apreciarmos um ao outro tanto quanto pudermos, enquanto pudermos, tenho certeza de que o amor e a compaixão triunfarão no final.

AUNG SAN SUU KYI

Aung San Suu Kyi (seu nome significa "uma brilhante coleção de estranhas vitórias") é um símbolo internacional de resistência pacífica à opressão. Líder da Liga Nacional pela Democracia de Mianmar, vencedora das eleições de 1990, mas a quem nunca foi permitido governar, ela recebeu, em 1991, o Prêmio Nobel da Paz por sua "luta pacífica pela democracia e pelos direitos humanos", uma luta que o comitê chamou de "um dos mais extraordinários exemplos de coragem civil na Ásia nas últimas décadas".

Para mim, Aung San Suu Kyi é um modelo de paciência. Durante boa parte dos últimos 15 anos, esteve em prisão domiciliar. Ela não vê seus filhos há cerca de dez anos; seu marido morreu no exterior em 1999 sem poder dizer-lhe adeus. O governo recusou-se a lhe conceder um visto, e ela temia que se deixasse o país não receberia permissão para retornar. Manifestou-se veementemente a favor da democracia, mas sem ódio, amargura ou espírito de vingança, quando os militares mataram inúmeros manifestantes pacifistas e torturaram, mataram ou prenderam milhares de seus seguidores. Recentemente, ela referiu-se assim a seus captores: "Nós acreditamos no diálogo mesmo com aquelas pessoas de quem discordamos. Na realidade, é mais importante conversar com as pessoas de quem discordamos, porque é precisamente com elas que precisamos tentar chegar a um entendimento."

O que será que permite que essa mulher mantenha a paciência dia após dia, eu me perguntei. Ela tem uma profunda e inabalável vida espiritual que só fez crescer nas ocasiões em que esteve presa. Mas, em *Cartas da Birmânia*, Aung fornece outra pista: ela compreende que a paciência é uma decisão que escolhemos tomar não apenas uma vez, mas repetidamente. Enquanto os soldados se concentram ao redor de sua propriedade ou estabelecem novas restrições, ela e seus seguidores tomam a decisão consciente de perseverar pacientemente. "Continuamos com nosso trabalho", ela relata em uma carta. "Rezamos e realizamos nossas tarefas." E em outra: "Caminhamos para a frente, passo a passo, e continuaremos caminhando para a frente passo a passo." Carta após carta, o padrão se torna claro: quaisquer que sejam os obstáculos colocados em seu caminho, ela os reconhece e, a seguir, decide pacientemente ir em frente.

A paciência não é algo que temos ou não temos. Ela é uma decisão que tomamos, uma opção que fazemos repetidamente. Quanto mais tivermos consciência de que a paciência é uma decisão, mais livres estaremos para tomá-la. Decidimos ser pacientes quando queremos perder peso e, em vez de tentar perder "50 quilos em um mês" (como a promessa de um anúncio que vi recentemente), nos empenhamos com persistência para atingir nosso objetivo e para aumentar a probabilidade de um sucesso duradouro. Escolhemos a paciência quando temos dificuldade para engravidar, para abandonar um vício, para fazer um curso superior.

Quando encaramos a paciência como uma decisão, compreendemos que precisaremos escolhê-la inúmeras vezes, talvez não em circunstâncias tão difíceis quanto as de Aung San Suu Kyi, mas em opções pequenas e cotidianas que nos farão mais livres e certamente mais felizes.

A beleza da opção pela paciência se encontra no fato de que, mesmo que sejamos pessoas impacientes, sempre teremos uma outra oportunidade para escolher! Em qualquer circunstância que estejamos vivenciando, somos capazes de escolher a serenidade.

Dia após dia, momento após momento, a decisão é sua.

ISSO TAMBÉM PASSARÁ

Muito tempo não significa para sempre.
PROVÉRBIO ALEMÃO

Khyentse Norbu era um jovem monge tibetano quando Bernardo Bertolucci foi à Índia para filmar *O pequeno Buda,* um filme sobre o príncipe Sidarta, que iria se tornar o Buda. Atuando como extra, Khyentse Norbu apaixonou-se pela arte cinematográfica e, cinco anos depois, seu filme independente *A Copa*, sobre a obsessão de um grupo de jovens monges pelo campeonato mundial de futebol, foi muito aplaudido. De um dia para o outro, Khyentse Norbu se tornou uma celebridade.

Li uma entrevista que deu logo após esse evento que transformou sua vida. Ele falou sobre o conceito budista de impermanência, o fato de que tudo muda, de que nada permanece igual para sempre. Acrescentou que os não budistas consideram a impermanência angustiante, porque enfatiza a perda. No entanto, ele a vê como positiva. Porque, sem a impermanência, ele brinca, "eu me desesperaria por não ter um BMW. Mas a impermanência significa que esse meu estado desprovido de um BMW pode mudar a qualquer momento!".

Eu ri quando li isso, mas nunca esqueci esse comentário. Porque, quando se trata de praticar a paciência, é muito útil lembrar que as coisas sempre mudam. Podemos ter certeza de que elas mudarão, mesmo que não mudem tão depressa quanto queremos ou da maneira como gostaríamos que acontecesse.

Quando vivenciamos a impaciência, tendemos a engessar a realidade atual: é assim e vai continuar para sempre assim. Vou ficar neste emprego para sempre; vou ficar trocando fraldas para sempre; vou ficar enfrentando dificuldades financeiras para sempre; vou ficar sozinho para sempre; vou ficar nesta cama, doente, para sempre. Quando estamos atravessando uma situação desconfortável, corremos o risco de reduzir o mundo àquele momento e nos desesperarmos com a possibilidade de aquilo jamais acabar.

Mas, quando nos lembramos que as coisas sempre mudam, somos capazes de esperar com mais tranquilidade. Foi por isso que sorri quando li o provérbio alemão desta página: muito tempo não significa para sempre, só *parece* ser.

Não são apenas os budistas e os alemães que possuem esse ensinamento. Jesus Cristo disse: "Isso também passará." Quando o momento é difícil, essa profunda verdade se torna um grande conforto, porque nos dá força, esperança – e paciência – para conviver com o que quer que esteja nos atormentando.

OS PARAFUSOS SÃO TÃO IMPORTANTES QUANTO AS ASAS

Não podemos fazer grandes coisas;
apenas pequenas coisas com muito amor.

MADRE TERESA DE CALCUTÁ

Madre Teresa de Calcutá estava visitando uma fábrica na Índia quando viu, num canto, um homem cantarolando alegremente enquanto juntava parafusos.

"O que você está fazendo?", ela perguntou. "Construindo aviões", ele respondeu. "Aviões?", ela indagou. "Sim", disse o homem, "sem estes minúsculos parafusos o avião não pode voar."

Adoro essa história. Ela me faz pensar que, quando o trabalho parece maçante, é útil lembrar nosso papel no esquema total das coisas. Esse homem compreendia a importância de sua contribuição, por menor que fosse, e assim podia pacientemente realizar sua tarefa.

No trabalho, muitas coisas desafiam a nossa paciência: a lentidão das decisões, os entraves da burocracia, as promoções a que aspiramos, o relacionamento com chefes e colegas de trabalho. Como consultora de corporações, observo que as pessoas conseguem se adaptar e superar dificuldades e reestruturações quando sentem que são reconhecidas e valorizadas na sua contribuição para o conjunto.

Numa pesquisa sobre os motivos pelos quais as pessoas permaneciam em uma empresa, o salário constituía o quinto fator em importância. Reconhecimento e valorização eram os principais motivos. Para sermos felizes no trabalho, precisamos sentir que estamos contribuindo com algo importante para o objetivo final, para a execução das metas da empresa, para a sensação de companheirismo. As maneiras de contribuir variam, mas o desejo de ter o próprio valor reconhecido é permanente.

Ben Zander, regente da Orquestra Filarmônica de Boston, escreve a respeito disso no livro *A arte da possibilidade.* Há, ele diz, em cada um de nós, "um desejo universal de ajudar os outros, não importa quantas barreiras existam para atingir esse objetivo". Quando confiamos na nossa capacidade para contribuir e quando reconhecemos as contribuições dos outros, aumentamos a paciência no trabalho – a nossa e a daqueles que nos cercam.

Embora possamos receber o reconhecimento por parte dos outros, é fundamental termos consciência de nossa própria importância, como fez o operário da fábrica da Índia. Precisamos descobrir onde nossos mais íntimos desejos se encontram com as necessidades do mundo. A partir daí, podemos trabalhar incessantemente por nosso objetivo, seja ele qual for, sem mesmo ser necessário ver resultados imediatos.

Onde é que precisam de você? Qual é a sua utilidade? Que obras-primas estão pedindo que você crie colocando parafusos um a um?

A ESPERA FAZ PARTE DA VIDA

Vamos, então, levantar e agir
com entusiasmo para qualquer resultado;
ainda realizando, ainda perseguindo,
aprendendo a labutar e a esperar.

HENRY WADSWORTH LONGFELLOW

Em *Para todo problema há uma solução,* Wayne Dyer escreve sobre um voo que fez para a Grécia, onde ia participar de uma corrida. Seu avião ficara retido em Nova York durante oito horas, tempo durante o qual a maioria de seus companheiros de viagem ficou andando de um lado para outro, se queixando e reclamando. Com exceção de uma pequena senhora grega, com cerca de oitenta anos, que permaneceu o tempo todo sentada em um canto. "Absolutamente serena... não demonstrava nenhum sinal de desânimo."

Ao entrarem no avião, essa senhora sentou-se perto de Wayne. "Ela sorriu para mim e aí, acredite você ou não, nas 13 horas seguintes... ela não se mexeu uma única vez. Não comeu, não bebeu, não se levantou, não assistiu ao filme, não reclamou, não se movimentou – não fez nada além de permanecer sentada na mesma posição em que estava na área de embarque, com a mesma aparência serena em seu rosto." Quando o avião finalmente aterrissou na Grécia, 22 horas após terem iniciado a viagem, ela "estava animada, bem-disposta e alegre" no momento em que encontrou aqueles que a esperavam.

"Até hoje", ele relata, vinte anos depois, "todas as vezes em que me vejo envolvido em uma situação de atraso semelhante, lembro-me daquela pequena senhora grega toda vestida de preto, e isso me dá uma grande paz interior."

Aquela senhora de preto sabia algo que muitos de nós esquecemos – que a vida exige sempre que esperemos, e que temos a opção de fazê-lo com felicidade ou com tristeza. Essa foi uma lição que aprendi à força. Nos últimos dois anos e meio tenho viajado muito a trabalho, e detesto esperar. Mais do que qualquer outra coisa, viajar significa enfrentar muitas filas: para apresentar a passagem, para passar pelos agentes de segurança de voo, para entrar no avião, para sair do avião, para alugar um carro...

Há pouco tempo, meu marido me perguntou por que eu logo me irritava com a perspectiva de esperar na fila. Não consegui encontrar uma resposta até ler o livro de David Baily Harned chamado *Patience: How We Wait Upon the World* (Paciência: como aguardamos as decisões do mundo). Lá estava ela de maneira clara: uma das crenças dessa nossa era da impaciência é de que "o ato de esperar não está na essência e no centro da vida humana; que ele é, de alguma forma, *acidental*: nós não deveríamos precisar esperar. O progresso humano deveria incluir a emancipação da necessidade de esperar, já que a ciência e a tecnologia nos libertaram de muitas formas de dependência de nosso ambiente natural". É isso, pensei. A sociedade deveria ter desatado todos os nós para que não houvesse espera em nenhum lugar!

"Não sou o único a acreditar nisso", diz Harned. A maioria dos seres humanos acha que o ato de esperar representa uma falha em algum sistema. No entanto, os seres humanos sempre precisaram esperar – o tempo ideal para plantar, o término das pragas, a volta de seus entes queridos após anos no mar, sem saber se estavam vivos ou não. Agora, a única diferença está naquilo que esperamos, e não na necessidade.

Na realidade, adverte esse professor de estudos religiosos, a espera causada por fatores que não podemos controlar só irá aumentar com o avanço da tecnologia e da complexidade da vida. As pesquisas mostram que uma pessoa normal passa 11 dias por ano em filas – isso sem contar o número de horas em carros, em aviões, ou falando com secretárias eletrônicas até conseguir falar com uma pessoa real. A tecnologia não reduz o nosso tempo de espera – apenas muda o motivo da espera.

O professor Harned me ajudou a perceber que, embora com certeza os sistemas possam ser aperfeiçoados, o ato de esperar não poderá jamais ser eliminado completamente. Quanto mais aceitarmos essa verdade, como a velhinha grega fez, mais felizes ficaremos. Pense nisso na próxima vez em que seu sangue começar a ferver por causa de um sistema de atendimento automatizado, de uma ida à agência dos correios ou do fato de seu computador ter pifado.

Viver é, pelo menos em parte, esperar.

É MELHOR TENTAR SOLUCIONAR UM PROBLEMA DO QUE TENTAR SE DESVENCILHAR DELE

Eu penso e penso, durante meses e anos,
e em 99 vezes a conclusão está errada.
Na centésima vez eu acerto.

ALBERT EINSTEIN

Um dia desses, um amigo deu a Don e a mim um computador de que ele não precisava mais. Esse computador podia utilizar uma linha DSL, fazer uma conexão muito mais rápida e liberar uma linha telefônica. Ótimo, nós dissemos. É simples de instalar, nos garantiram.

Infelizmente, como muita coisa na vida, podia ser simples, mas certamente não era fácil. Don fez e refez ajustes, passou um bom tempo ao telefone com nosso provedor e, então, jogou a toalha. “Não consigo resolver”, ele lamentou. “Vamos sair e comprar um computador novo.”

A desistência ia contra todos os meus princípios, inclusive o da paciência. Por que descartar um (talvez) perfeitamente bom computador só porque você não está disposto a despender tempo tentando descobrir como fazê-lo funcionar? "Chame o Damian", sugeri, me referindo a meu enteado, um gênio em computação. "Por favor, tente mais uma vez. Não estou disposta a desistir ainda." (É claro que para mim foi fácil dizer isso, não tinha sido eu quem ficara três horas pelejando com o computador.)

Quando ele retomou o trabalho, fiquei refletindo. A reação de Don parecia típica. Na nossa cultura, tudo apoia tal atitude. Se algo não está funcionando bem, jogue-o fora e compre um novo. Não se preocupe em ter paciência, desvencilhe-se do problema. Compre um novo aquecedor em vez de consertar o antigo. Pague pensão em vez de tentar resolver as dificuldades com sua esposa.

Diariamente, os anunciantes nos bombardeiam com mensagens que dizem que a vida não precisa ser desagradável, difícil ou irritante. Para isso, você precisa apenas comprar o produto que eles estão vendendo. Use produtos em vez de paciência; equipamentos novos em vez de um grande empenho.

Essa atitude causa muitos problemas, sobretudo o enorme débito de consumo que nós estamos contraindo. Porém, este é apenas o problema mais óbvio.

Em um nível mais sutil, essa crença nos faz desistir cedo demais e, assim, perder as recompensas espirituais e emocionais que a persistência oferece. Tentar solucionar um problema com nossos parceiros, em vez de arrancar os cabelos; tentar, como na citação de Einstein, solucionar mais uma vez um problema difícil; e persistir tentando fazer o computador funcionar – essas e inúmeras outras situações que exigem paciência nos ensinam muito sobre nós mesmos.

Aprendemos que somos talentosos, competentes e que podemos contar com nossa disposição quando a vida nos desafia. Quando somos bem-sucedidos, experimentamos uma sensação de realização que não seria vivenciada se tivéssemos nos desvencilhado do problema sem usar a paciência para tentar resolvê-lo.

Foi o que aconteceu com Don. Duas horas depois de anunciar que estava desistindo, ele conseguiu solucionar o problema. Aquilo não custou um centavo e o espetáculo de meu marido pulando de alegria pelo quarto e explodindo de orgulho foi maravilhoso.

AONDE É QUE VOCÊ ESTÁ INDO COM TANTA PRESSA?

O problema com a corrida de ratos é que, mesmo que vença, você continua sendo um rato.

LILY TOMLIN

Denise é uma das pessoas mais organizadas e rápidas que conheço. Ela não desperdiça um único segundo. Por causa disso, já conseguiu muitas coisas em seus 35 anos, entre elas abrir duas empresas para financiar projetos. Uma manhã de sábado, ela parou de repente e desabafou:

"Meu marido e eu estávamos saindo para fazer algumas coisas juntos. Na minha maneira eficiente, eu tinha dividido as tarefas em duas listas, uma para ele e outra para mim. Eu pretendia que cada um de nós executasse as tarefas da própria lista o mais rápido possível. Quando entreguei a lista dele, seu rosto desmoronou. 'Ah!', meu marido disse, 'eu achava que o objetivo era fazermos essas coisas juntos.' Um sinal ressoou na minha cabeça durante cerca de um minuto, mas eu realmente não o compreendi. Estava muito ocupada tentando seguir em frente. Um dia, meu marido me deixou. Então, tive muito tempo para pensar. E passei a compreender que a viagem é tão importante quanto o ponto de chegada."

De qualquer jeito, aonde estamos indo com tanta pressa? Denise queria passar algum tempo com seu marido ou só realizar as tarefas? Muitos de nós estamos sempre indo de um lado para o outro com tanta pressa que nem mesmo nos preocupamos em investigar se o lugar aonde estamos tentando chegar ou o que estamos fazendo corresponde àquilo que realmente é importante para nós.

"Você é o primeiro a se levantar e limpar a mesa?", pergunta Iyanla Vanzant. "Recebemos boas notas por isso na primeira série. (...) Esse movimento começou lá no passado. Fomos recompensados por fazer mais do que a nossa parte. Fomos estimulados a permanecer ocupados." Quando chegamos à idade adulta, isso já se tornou um hábito. Passamos a ser, nas palavras de Iyanla, "pessoas que fazem mais, mais rápido e melhor". Mas será que estamos usufruindo nossas vidas?

Não, ela insiste. "As pessoas que fazem mais, mais rápido e melhor... não curtem o trabalho: elas simplesmente não sabem como parar."

E se houvesse uma solução melhor do que a pressa? Acontece que há. O psicólogo de esportistas Gary Mack aconselha os atletas a fazerem 90% de esforço. Quando fazem isso, eles vão mais rápido. Por quê? Porque os músculos voluntários estão organizados em pares opostos, como um freio e um acelerador sendo acionados ao mesmo tempo. Com 90% de esforço, os atletas "despendem muita energia muscular, mas, ao mesmo tempo, relaxam os músculos antagonistas que impedem o máximo de desempenho", explica Mack. Com 100%, os músculos trabalham contra si mesmos.

E se você utilizasse 90% de esforço em sua vida? "Nem sempre você tem algo para fazer", diz Iyanla. "Quando tiver algo para fazer, faça-o num ritmo que seja mais confortável para você... com a consciência de que tudo é feito no tempo divino e de acordo com a ordem divina."

Se essa ideia o desafia, lembre-se da Primeira Regra dos Buracos: "Quando você se descobre em um buraco, a primeira regra é parar de cavar." Na próxima vez em que se descobrir ofegante, pare. Pare de cavar, pare de correr de um lado para o outro e pergunte a si mesmo: "Aonde é que estou indo com tanta pressa? Será que é para um destino que eu de fato desejo? Se este for o caso, como eu poderia aplicar 90% de esforço para obter resultados 100% satisfatórios?"

O TÉDIO ESTÁ TODO EM NOSSAS CABEÇAS

Quando as pessoas se sentem entediadas,
é basicamente com elas mesmas
que estão entediadas.

ERIC HOFFER

Ana adquiriu um novo hábito. De repente, tudo aquilo que ela não quer fazer vem com o rótulo de "chato". "Isso é chato", ela diz quando sugiro lermos uma determinada história ou a chamo para um passeio. "É tão chato esperar", ela resmunga quando lhe digo que a ajudarei daqui a dois minutos. "Onde é que você aprendeu isso?", eu pergunto, mas ela não sabe dizer. Acho que ela o pegou no ar.

O tédio, como um lamento, está em toda parte. Aparentemente, hoje em dia, não há crime maior na vida do que estar entediado. Esperar a comida cozinhar é chato – cozinhe-a no micro-ondas. Esperar o desenrolar de um filme é chato – aperte a tecla de avanço rápido. Ler um livro inteiro é chato – leia o resumo na internet. Queremos tudo acelerado, precisamos ser constantemente estimulados – caso contrário, nos sentimos entediados.

A velocidade pode ser divertida e emocionante. No entanto, ela vem com uma etiqueta de preço. O que acontece com a nossa capacidade de nos concentrarmos, de refletir, de compreender coisas dentro de um contexto, de nos esforçarmos muito por algo que não trará resultados a curto prazo?

A tendência a rotular uma enorme parte da experiência humana como maçante é um fenômeno relativamente recente. O conceito de maçante – uma sensação de vazio e de falta de estímulo – nem mesmo existia até o século XIX. Antes era usado apenas para referir-se a uma pessoa que falava durante muito tempo ou se desviava do assunto: "Ah, ela é tão maçante!" Agora o conceito ampliou-se e passou a significar uma sina pior do que a morte.

Os psicólogos dizem que o problema, que nós consideramos externo – no livro, no filme, no emprego, no relacionamento –, na realidade está dentro de nós. O tédio, eles dizem, é criado pela incapacidade de adiar um prazer e pela baixa tolerância à frustração. Os dois motivos ameaçam seriamente a probabilidade de sucesso na vida e no amor.

Todas as vezes que afirmamos que uma coisa é entediante, o que realmente estamos dizendo é que não temos paciência para aquilo. Em vez de procurar, dentro de nós mesmos, a origem da sensação de tédio – e, portanto, a solução –, olhamos para fora e rotulamos de problema aquilo que nos provoca esse sentimento.

Boa parte da experiência humana pode ser considerada entediante. Há enormes períodos na função de educar os filhos, nos relacionamentos, no trabalho, em que temos a impressão de que "nada" está acontecendo ou, pelo menos, nada evidente. Temos duas alternativas: considerar esses momentos como entediantes e procurar alívio em qualquer distração disponível ou encarar essas ocasiões como oportunidades para exercermos a paciência e aprofundarmos nossa visão.

Tente fazer isso. Durante uma semana recuse-se a considerar qualquer experiência como entediante. Quando a sua mente começar a utilizar esse rótulo – no trânsito ou em qualquer espera –, desafie-se a encontrar algo de interessante no que está acontecendo, seja consigo mesmo ou com o mundo que o cerca. Você vai ver como a experiência fica alterada.

Com atenção, nada é chato, nem mesmo as tarefas mais corriqueiras. Se você usufruir a sensação da água morna e do sabão em suas mãos enquanto lava pratos e panelas, será que a tarefa não fica mais interessante? Ou ao limpar o jardim, qual é a sensação de abaixar-se e esticar-se ao sol? Sinta a brisa acariciando seu corpo, ouça o canto dos pássaros, aprecie o formato das nuvens no céu. Observe os rostos e roupas das pessoas na fila e tente imaginar como elas vivem. As oportunidades são inúmeras, mas nós as desperdiçamos quando partimos do pressuposto de que a atividade a que nos dedicamos é chata. Quando nos sintonizamos dessa forma, multiplicamos as sensações de espanto pelo fato de estarmos vivos neste mundo surpreendente.

LEMBRE-SE DA REGRA NÚMERO SEIS

Não leve isso para o lado pessoal.

DON MIGUEL RUIZ

Num encontro de dois líderes, um empregado do líder Número Um irrompe no local, vociferando e cerrando os punhos. O líder Número Um diz: "Queira ter a gentileza de se lembrar da regra número seis." Imediatamente o homem se recompõe, pede desculpas e se retira. Isso acontece mais duas vezes. Finalmente, o líder Número Dois não se contém e pergunta: "Qual é a regra número seis?" "Não se leve muito a sério", responde o Número Um. "Esta é uma regra boa", diz o Número Dois, "quais são as outras?" "Iguais a esta", diz o Número Um.

Adorei essa história que li no livro *A arte da possibilidade*. Ela pode nos ensinar muito sobre a paciência.

Você já percebeu que, quanto menos paciência uma pessoa tem, mais arrogante ela se mostra? "Eu não deveria ter de aceitar isso", ela parece dizer, "porque mereço mais. Tenho lugares melhores para estar e coisas melhores para fazer. Eu sou muito importante para ter de esperar. O universo gira em torno de mim – ou, pelo menos, deveria." "Você sabe quem eu sou?", o pai muito impaciente de um amigo meu costumava esbravejar contra os garçons, os atendentes e as outras pessoas que ele via como obstáculos em seu caminho.

Há uma outra ótima história nesse livro sobre o elo entre a arrogância e a impaciência. O famoso regente Herbert von Karajan uma vez entrou correndo em um táxi e, aos gritos, mandou o motorista ir depressa. "Para onde?", perguntou o motorista. "Não importa", respondeu Von Karajan. "Eles precisam de mim em todos os lugares."

Para todos nós, o crescimento requer uma busca de equilíbrio entre a autoestima saudável e o egocentrismo, entre a autovalorização e o reconhecimento de que o mundo não gira em torno de nós.

Um dos motivos da impaciência é o fato de, no nosso íntimo, acreditarmos que a vida deveria sempre ser do jeito que queremos e que há algo terrivelmente errado quando isso não ocorre. Essa crença vem de nossa experiência muito primitiva, como bebês que exigiam um atendimento imediato às suas necessidades. Aqueles que cuidavam de nós existiam para satisfazê-las prontamente, e a vida, de fato, girava em torno de nós.

Mas essa experiência durou pouco. À medida que fomos crescendo, apareceram limites e regras para nos encaixarmos no esquema da família e da comunidade maior – e a vida nunca mais foi a mesma. Por mais sensacionais que pudéssemos ser, não éramos o centro do universo. De alguma maneira, ainda estamos chorando essa perda.

É por isso que, quando nos sentimos impacientes, é útil lembrar que *nem* tudo nos diz respeito e que o que está acontecendo *não* é para nos agredir. A vida apenas continua impassivelmente o seu próprio caminho e, quanto mais nos adaptarmos a seu ritmo, mais felizes e realizados ficaremos. Quando nos lembramos da regra número seis, conseguimos aliviar o peso e, por conseguinte, enfrentar os golpes da vida com mais facilidade.

NOS DESLIGARMOS É TÃO IMPORTANTE QUANTO NOS LIGARMOS

É melhor levantar tarde e ficar alerta do que levantar cedo e ficar sonolento o dia inteiro.

ANÔNIMO

Eu tinha uma funcionária muito esforçada. Barbara se orgulhava de trabalhar mais horas do que qualquer outro funcionário e de jamais tirar folga. Eu tinha de forçá-la a sair de férias. Sabem como eu descobria que ela precisava descansar? Barbara se tornava impaciente com clientes e colegas, e menos tolerante às dificuldades de seu trabalho.

Por que é tão fácil perceber que as crianças se tornam irritadiças quando estão muito cansadas e tão difícil compreender que o mesmo pode acontecer conosco, adultos? Estou convencida de que boa parte da nossa impaciência tem como origem o fato de nunca nos desligarmos. Entre e-mails, mensagens gravadas, bipes e telefones celulares, nunca estamos de folga. Uma pesquisa feita pela Pitney Bowes descobriu que 38% dos trabalhadores dizem que foram interrompidos seis vezes ou mais em uma hora. O trabalho nos convoca a qualquer hora do dia ou da noite, nem que seja em pensamento. O conceito de fim de semana parece ter perdido todo o significado. Nunca temos um intervalo sem interrupções.

Se isso não fosse o bastante, estamos constantemente sendo bombardeados por informações – por meio da internet, de revistas, da TV, do rádio, de livros. Ficamos surpresos por termos tanta dificuldade em lembrar fatos recentes, e no entanto, como constata Rick Wagonheim, da R/Greenberg Associates, "estamos todos sofrendo de pelo menos um tipo de déficit de atenção". Nossos pobres cérebros estão gritando: "BASTA!"

Todos esses estímulos e chamarizes externos produzem um efeito: embaralhar tudo e criar uma sensação de inquietação mental que é a antítese da paciência. David Shenk escreveu sobre isso em *The End of Patience* (O fim da paciência): "À medida que as informações se movem mais rápido... nossos olhos, nossos ouvidos e nossos córtices cerebrais passam a ter mais coisas para assimilar. Conseguimos assimilá-las, mas, para fazê-lo, nos habituamos a ter períodos mais curtos de concentração... e uma rotina de 'multitarefas' insana que com frequência leva a ideias insuficientemente planejadas e a comportamentos imaturos.

"E, assim, nós perdemos momentos de tranquilidade, momentos de reflexão."

Não é só de tempo para refletir que precisamos. Temos também necessidade de sono adequado. As últimas estatísticas sobre os padrões do sono, nos EUA, revelam que um em cada sete americanos sofre de insônia e um em cada dez possui problemas crônicos de sono. A Fundação Nacional do Sono afirma que os americanos estão dormindo 20% a menos do que há cem anos, ou seja, uma hora e meia a menos por noite.

Essa hora e meia pode não parecer muito. No entanto, os pesquisadores descobriram que essa diminuição acarreta diversos tipos de problemas na saúde, entre eles pressão alta e níveis mais altos de açúcar no sangue. Além disso, ela foi identificada como um fator responsável por desastres como o de Chernobyl e o da nave espacial *Challenger*. A falta de sono causa em muitos de nós efeitos semelhantes aos da embriaguez.

Todos nós precisamos não só dormir o necessário, mas também de horas de tranquilidade quando estamos acordados, sem interrupções e sem ter que dar satisfações a ninguém. Caso contrário, ficamos sem as reservas mentais e físicas que a vida requer. Cada um tem que descobrir como garantir isso. Eu trabalho muito das 8 às 18 horas. Após este horário recuso-me a trabalhar. E, com poucas exceções, não trabalho nos fins de semana. Como consequência dessas "regras", descubro que tenho muito mais paciência. Por outro lado, quando desobedeço às minhas regras por muito tempo, tudo e todos me enlouquecem.

Satchel Paige, uma lenda do beisebol, coloca a questão desta maneira: "Se o seu estômago o desafia, deite-se e o acalme com pensamentos tranquilizadores." Amém! Desligue-se de vez em quando e veja sua paciência aumentar.

QUAL É A IMPORTÂNCIA DISSO NO ESQUEMA GERAL DAS COISAS?

Fique calmo: tudo estará igual daqui a cem anos.
RALPH WALDO EMERSON

O último fim de semana foi de um feriado longo, e Ana ficou grudada em mim quatro dias seguidos. "Mamãe, podemos ir nadar agora?... Mamãe, mamãe, posso tomar suco?... Mamãe, mamãe, podemos ir nadar agora? Mamãe, posso assistir aos desenhos na TV? Mamãe, mamãe, mamãe..." Perdi a conta de quantas vezes ela disse "mamãe". Por fim, no domingo à noite, perguntei se ela poderia fazer o favor de ficar dez minutos sem me fazer uma pergunta, porque eu precisava de uma pausa. A resposta dela: "Por quê?" (A propósito, isso me fez rir muito, o que é um grande estimulador da paciência.)

Sobrevivi à experiência sem perder a paciência porque consegui colocar o comportamento de minha filha em uma certa perspectiva. No quadro mais amplo de nossas vidas, qual é a importância de quatro dias de perguntas infindáveis? Eu me obriguei a pensar que tenho a sorte de Ana querer tanto a minha atenção. Tenho filhos maiores e sei que o período em que somos o centro do seu universo, o objeto de sua adoração, acaba num piscar de olhos, e por isso é melhor saboreá-lo enquanto posso.

Quando me disponho a aprender algo, leio todos os livros que tratam do assunto, observo cuidadosamente amigos e conhecidos que possuem a qualidade que desejo para mim mesma e lhes faço muitas perguntas. Os livros me dão a teoria, mas tendem a ser sucintos em relação à prática. No caso da paciência, é imensa a literatura que diz que deveríamos ser pacientes, mas mínima a que fala da maneira de conseguir isso. Por isso, confio muito nas pessoas que admiro para aprender com elas todos os meandros dessa qualidade escorregadia.

Uma coisa que descobri é que a paciência é criada quando colocamos a pessoa, o lugar ou a coisa que está nos irritando em perspectiva. "Pergunto a mim mesmo", disse um amigo, "se o que está me irritando ou me estressando terá importância daqui a 15 anos ou 15 dias. Ou mesmo quinze minutos. Quase sempre isso me ajuda a ver que quase todas as coisas que me irritam são, na realidade, irrelevantes." Ou como minha amiga Dawna, que vem lutando contra um câncer há quase trinta anos, escreveu em um e-mail para mim: "Bem, centenas de coisas deram errado hoje, mas todas elas são melhores do que estar com câncer!"

Todas as vezes que colocamos o que está acontecendo em uma perspectiva mais ampla, automaticamente conseguimos ser mais pacientes. Isso acontece porque desviamos o foco de nossa atenção dos detalhes da situação – que mais uma vez Jim não levou o lixo para fora, que papai não nos agradeceu de novo pela visita, que meu marido está palitando os dentes na frente dos outros – e o fixamos no contexto maior do significado total de nossas vidas.

A partir desse lugar mais amplo, podemos fazer algumas perguntas cruciais: Será que isso é realmente importante? O que *é* de fato importante? Meu marido é um ótimo pai e um companheiro amoroso. Qual a importância de ele palitar os dentes em público? O que realmente queremos do nosso relacionamento? Mais amor e companheirismo ou modos impecáveis?

A paciência é criada quando mantemos nossos olhos no esquema maior e não nos prendemos às trivialidades do dia a dia. É claro que vou insistir com meu filho para levar o lixo para fora, ou vou pedir ao meu marido que não faça uma coisa que me incomoda. Mas, se eu não perder de vista o contexto mais amplo, vou poder falar tudo isso com calma, não numa reclamação exasperada, mas como quem amorosamente quer criar uma vida mais harmoniosa e feliz para todos.

AS PESSOAS SÃO APENAS SERES HUMANOS

Eu adoro estar casada. É tão bom encontrar aquela pessoa especial que você quer irritar pelo resto da sua vida.

RITA RUDNER

Antes de conhecer meu marido, morei durante 14 anos com um homem chamado Will. Nos últimos seis anos do nosso relacionamento, ele tinha um emprego muito dinâmico, muito extenuante e distante uma hora e meia de onde morávamos. Eu nunca sabia quando ele chegaria em casa. Nessa época não havia telefones celulares, e por isso eu lhe fiz o que, para mim, era um pedido simples: "Por favor, me telefone às 17 horas todos os dias para dizer a que horas você vai sair do escritório. Assim, poderei planejar o jantar, etc."

Fácil, certo? Mas ele não conseguia, pelo menos não regularmente. Telefonava vários dias seguidos e depois esquecia. Tinha ficado preso em uma reunião ou em um avião. O que quer que fosse. Eu não conseguia que ele atendesse o meu pedido. Quanto mais ele esquecia, mais zangada eu ficava. Por fim, minha paciência se esgotou; cada pequeno esquecimento no dia a dia era um lembrete doloroso de todas as vezes que ele tinha esquecido de avisar. Meu companheiro começou a me evitar, porque eu só fazia reclamar.

Se há uma lição que eu gostaria de ter aprendido antes dos meus quarenta anos, é de que não é possível controlar o comportamento de alguém. Com toda a sinceridade, você não consegue. As pessoas serão sempre pessoas. No entanto, muitas das nossas comunicações no trabalho ou em casa parecem partir do pressuposto de que somos capazes de fazer a outra pessoa se comportar como desejamos. Nossos esforços podem fazer o outro compreender um pouco mais o que queremos e as razões pelas quais queremos, mas, no final, cabe à pessoa decidir mudar ou não. Podemos oferecer apoio, mas não conseguimos fazê-la entrar no nosso ritmo.

Não posso controlar se meu marido faz ou não os exercícios para a coluna, mas posso apoiá-lo na hora de fazê-los, caso ele queira. Não posso controlar a motivação de meus empregados, mas posso criar as condições que aumentariam a probabilidade de eles assumirem mais responsabilidade. Não pude nem controlar o momento em que minha filha de três anos deveria aprender a pedir para ir ao banheiro, embora pudesse incentivá-la.

Para a maioria de nós, esse é um ponto tão fraco que, em *The Inner Game of Work* (O jogo interno do trabalho), Tim Gallwey apresenta uma lista do que podemos ou não controlar em relação às outras pessoas. Você não pode controlar a atitude ou a receptividade de uma pessoa; o quanto ela ouve; suas motivações e prioridades; sua disponibilidade; o fato de ela gostar ou não de você; a capacidade de compreender o seu ponto de vista e aceitá-lo; a maneira como ela interpreta o que você diz.

Você pode controlar as suas atitudes em relação a uma outra pessoa; sua própria atitude em relação ao aprendizado; sua maneira de ouvir; sua aceitação do ponto de vista de outra pessoa; seu respeito em relação ao tempo dela; sua expressão de entusiasmo pela ideia dela; a quantidade de tempo que você gasta ouvindo e falando; sua autoimagem.

Perceba a diferença entre as duas listas. Você não pode controlar *nada* a respeito de uma outra pessoa, mas é capaz de exercer controle sobre a maneira pela qual você se relaciona com ela, criando assim uma possibilidade muito maior de ela acatar o seu ponto de vista.

Quanto mais reconhecermos a nossa completa falta de controle sobre os outros, mais pacientes nos tornaremos, porque deixaremos de nos exasperar com suas maneiras de ser e começaremos a direcionar nossa paciência para a pessoa certa: nós mesmos, já que a nossa mudança fará com que tenhamos mais chance de que os outros mudem.

Em circunstâncias desafiadoras com outros seres humanos, o melhor que temos a fazer é lembrar a Oração da Serenidade: "Senhor, dê-me serenidade para aceitar as coisas que não posso mudar, coragem para mudar as coisas que posso e sabedoria para distinguir umas das outras."

ALGUMAS COISAS VALEM A ESPERA

A espera intensifica o desejo. Na realidade, ela nos ajuda a reconhecer quais são nossos verdadeiros desejos. Ela separa nossos entusiasmos passageiros de nossos verdadeiros anseios.

DAVID RUNCORN

Há pouco tempo, li num artigo do *New York Times* que J. K. Rowling estava encontrando dificuldades para acabar o quinto livro da série Harry Potter e que seus jovens leitores começavam a perder a paciência. Um chegou a dizer: "Se ela não se apressar, passaremos a gostar de alguma outra coisa."

Esse comentário realmente me incomodou. Não porque eu tenha a certeza de que vale a pena esperar pelo novo livro de Harry Potter. Mas por causa da mensagem que o comentário passa: ou você satisfaz meus desejos imediatamente ou saio daqui. Se fosse um comentário isolado, feito por um indivíduo, não teria causado essa impressão em mim. Mas acredito que ele reflete uma crescente tendência dentro da sociedade: somos muito volúveis para aguardarmos algo que dizemos desejar.

A ironia está, segundo aqueles que estudam esse assunto, no fato de que, quando conseguimos imediatamente tudo o que queremos, ficamos saciados e insatisfeitos. É a insatisfação daqueles que nascem em berço de ouro – como recebem tudo com muita facilidade, nada consegue satisfazê-los. Para que a mente humana possa se sentir verdadeiramente satisfeita, ela precisa trabalhar por aquilo que deseja. Acontece que parte desse sentimento de satisfação está em termos de esperar por aquilo que desejamos. Lembre o gosto do pão fresco depois de o fermento agir. A espera aguça o seu apetite.

Vivenciei essa verdade recentemente. Há alguns anos precisei baixar meu padrão de vida devido a problemas financeiros. Mudei-me para uma casa bem menor e mais simples, que tinha o chão forrado por um carpete bege que logo evidenciou todas as manchas que um bebê e dois gatos são capazes de produzir. Eu queria arrancar fora aquele carpete desde o momento em que o vi. Para isso, economizei meus centavos e, quatro anos depois, consegui colocar o piso de madeira com que tanto sonhara. Meu coração se alegra todas as vezes que olho para ele. E o engraçado é que esse piso me dá muito mais prazer do que o piso luxuoso que havia na minha casa anterior. Porque esperei e trabalhei por ele.

Quando reconhecemos que a espera pode nos trazer mais satisfação do que o atendimento imediato de nossas necessidades, é muito mais fácil ter paciência. Se eu tivesse sabido disso quando vi aquele carpete horroroso, poderia ter dito a mim mesma: "Imagine o imenso prazer que vou sentir quando finalmente conseguir o piso que eu quero!"

Ter de esperar traz ainda outro benefício. A espera nos ajuda a descobrir o que de fato queremos e o que é realmente importante para nós. Eu quis o piso que tenho hoje desde o primeiro dia e continuei a querê-lo 1.460 dias depois. Ele não foi fruto de um impulso nem um capricho passageiro.

Lembrar que vale a pena esperar por algumas coisas nos ajuda a decidir quais são elas e a lhes dar o devido valor realmente quando as obtemos.

VAI DAR CERTO

A fé significa crença no desconhecido, a serena convicção de que, embora você não possa imaginar como, em algum momento, em algum lugar, e da maneira correta, aquilo que você deseja irá acontecer.

DAPHNE ROSE KINGMA

Sara é uma empresária de vinte e poucos anos que acabou de abrir uma empresa sofisticada em um contexto econômico difícil. "Eu me vejo constantemente irritada com meu sócio e meus empregados", ela me confessou. "Meu sócio passa metade do dia dizendo para eu me acalmar. O pior é que acho que ele está certo. A minha impaciência não ajuda em nada, no entanto não consigo me desvencilhar dela."

Sara possui um bom nível de consciência. Quando perguntei qual a razão de sua impaciência com todos, inclusive com ela mesma, pensou bastante antes de responder: "Já sei o que é, eu tenho medo do futuro. Fico tão ansiosa com a possibilidade de fracassar que tento fazer o possível para impedir que algo de ruim aconteça. Mas percebo que a minha impaciência está apenas aumentando as chances de fracasso!"

Como essa jovem descobriu, uma das atitudes que alimentam a paciência é a fé em um bom resultado. Quando acreditamos em um futuro feliz, podemos esperar com mais tranquilidade. Isso requer fé – em nós mesmos, em nossos parceiros, em nosso Deus, na benevolência do universo –, porque, a rigor, não temos garantias. Precisamos viver como se algo fosse acontecer sem saber direito qual será o seu fim. Nem sempre isso é fácil, especialmente quando há muito em jogo.

No entanto, embora não haja garantias, a partir do estado de serenidade que a fé produz, provavelmente o bom resultado acontecerá. Quando estamos temerosos e impacientes, ficamos desequilibrados e afastados da sabedoria interna que pode nos levar a enfrentar os desafios com que nos deparamos. Com a paciência intacta, nos tornamos capazes de dedicar os nossos recursos internos e externos à tarefa que temos pela frente.

A fé em um bom resultado não significa ingenuidade nem negação da realidade. Devemos ser prudentes e procurar bons conselhos e apoio quando precisarmos. Precisamos encarar de frente a situação, mesmo que ela não seja agradável. E, então, armados com fatos e fé, tomar as melhores decisões possíveis.

Uma vez, uma cliente me procurou dizendo: "Só tenho dinheiro para manter o negócio por duas semanas. Tenho fé em meus produtos e em mim mesma. O que você acha que eu devo fazer?" Nós duas analisamos todas as possibilidades durante uma hora, e não voltei a vê-la durante seis meses. Um dia ela me telefonou para dizer que tinha descoberto um novo distribuidor e que continuava de pé.

A fé em um bom resultado não garante que os resultados vão sair exatamente como queremos. Empresas e relacionamentos podem não dar certo, e o mercado de ações oscila. O que a fé nos pede é para acreditar que, mesmo que as coisas não saiam tal como queríamos, temos sempre uma chance de crescer, de desenvolver capacidades que desconhecíamos, de criar novas amizades e sair fortalecidos da experiência.

Foi isso o que Sara passou a ver – que mesmo que seu negócio fracassasse, ela não teria fracassado. A experiência a teria beneficiado muito, especialmente se a usasse como ferramenta para aumentar sua paciência, sua sabedoria e sua fé. E, se fosse apenas isso, já seria um bom resultado.

LEVE O TEMPO QUE FOR NECESSÁRIO

Algumas coisas só podem acontecer através do tempo.
Elas apenas acontecem – o tempo as transporta.

M. C. RICHARDS

Há alguns meses, meu marido perdeu o emprego quando a empresa onde ele trabalhava fechou as portas. Ao comparecer para uma entrevista em uma nova empresa, ele se deparou com uma oportunidade perfeita – local perto de casa, horário flexível permitindo acomodar as necessidades de nossa filha, um bom plano de saúde e um tipo de atividade que ele adora.

A funcionária que o entrevistou pareceu gostar dele, embora não prometesse nada. Havia problemas a serem resolvidos e levariam cerca de um mês para dar uma resposta.

Um mês se passou. Meu marido continuou a procurar, mas não surgiu nada. Em um determinado momento, a mulher telefonou para dizer que o processo ainda estava em andamento. Após dois meses, ele se perguntou se deveria dar um ultimato, mas, como aquele era um emprego que ele de fato queria, decidiu esperar pacientemente. Passaram-se três meses; ele aceitou um serviço temporário. De vez em quando sentia-se tentado a telefonar e manifestar sua irritação, mas decidiu que era melhor mostrar-se animado e confiante quando se falavam. Finalmente, ontem, toda a paciência valeu – quatro meses após sua primeira entrevista, ele foi contratado.

Eu acredito que meu marido tenha conseguido esse emprego porque se lembrou de uma lição fundamental: as coisas levam o tempo que for necessário. Ou como um orientador espiritual disse uma vez: "Você não pode empurrar o rio."

Talvez você não esteja sofrendo por causa de um emprego, mas com toda a probabilidade há coisas em sua vida pelas quais você simplesmente precisa esperar, mesmo que não queira: encontrar a pessoa certa; receber os resultados da prova; ter uma promoção na empresa; saber se seu filho passou no vestibular. Somos todos obrigados a esperar mais tempo do que aparentemente podemos.

Quando nos lembramos que o que quer que estejamos esperando ansiosamente vai demorar o tempo que for necessário para chegar, é mais fácil ter paciência. Passamos a nos harmonizar com o ritmo do tempo em vez de insistir para que se materialize imediatamente. Um bebê leva nove meses para crescer no útero. Não queremos que ele chegue prematuramente. Se, em vez de sofrer com impaciência, víssemos as coisas que estamos tentando acelerar como uma nova vida em gestação, certamente aumentaríamos nossa capacidade de esperar.

Quanto mais nos convencermos de que a vida se move em seu próprio ritmo, mais paciência teremos. Esse tipo de paciência faz bem à alma. Esperar com paciência nos faz permitir que a vida se mova e nos transforme, enquanto nos vergamos como árvores ao vento, dobrando e contorcendo sem quebrar, e, apesar de tudo, sobrevivendo.

HÁ MAIS DE UM CAMINHO CERTO

A paciência é algo que você admira no motorista que está atrás de você, mas não no que está à sua frente.

BILL MCGLASHEN

Don dirigia o carro comigo ao seu lado. Ao aproximar-se de um cruzamento o sinal ficou amarelo. Em vez de acelerar, ele parou. Suspirei. Você conhece bem esse tipo de suspiro. É aquele dos casais que estão juntos há muito tempo e que significa: "Você está tentando me irritar, mas eu não vou discutir." O sinal abriu e Don avançou, mais devagar do que eu teria feito. Suspirei de novo. Ele entrou em um estacionamento. "Olha uma vaga", eu disse, apontando para a primeira que apareceu. Ele continuou dirigindo, procurando uma mais próxima do lugar aonde íamos. Suspirei.

Mais tarde, refleti sobre aqueles suspiros e os milhares de outros que dei nos dez anos em que estamos juntos. Não é agradável ficar impaciente com a pessoa que você ama. Então, por que isso acontece comigo com tanta frequência? De repente, descobri o que era – aquilo acontecia porque eu acredito que há apenas uma maneira correta de fazer qualquer coisa. A minha maneira.

Dentro de mim há uma sabe-tudo que fica o tempo todo julgando as pessoas que me cercam. E não estou me referindo apenas a coisas importantes, como moralidade e ética. Estou dizendo que tenho a tendência de julgar negativamente alguém por parar em um sinal amarelo, por escolher um trajeto que eu acho mais longo, por só abrir a bolsa para pagar o supermercado depois de receber a nota! Com os outros, eu consigo até ser um pouco mais paciente. Mas, quando se trata do meu marido, a sabe-tudo me domina e fico exasperada. Tudo precisa ser feito como eu quero, quando eu quero; caso contrário, fico danada.

Hoje consigo perceber que, quando somos racionais, podemos ver que existem muitas maneiras de fazer as coisas. As pessoas ao nosso redor são diferentes de nós, graças a Deus, e portanto é óbvio que irão agir de maneira diferente. De maneira *diferente*, e não melhor ou pior. Quanto menos tempo gastarmos julgando-as, mais felizes ficaremos. Além disso, é sinal de respeito e valorização deixar que as pessoas ajam como querem e em seus próprios ritmos. Mostramos assim que sabemos que elas são capazes e que apreciamos suas habilidades.

No entanto, tenho que lutar constantemente contra a minha parte crítica, pois ela é muito forte e passei muito tempo alimentando-a. Comecei a enfrentá-la quando formei uma dupla com uma amiga que tem um traço semelhante. Conversamos muito e nos apoiamos, o que ajuda a nos darmos conta das vezes em que nos achamos superiores a nossos maridos e queremos impor nosso caminho.

Mas o que mais contribui para segurar minha impaciência nesses momentos é perguntar-me: "Você acha que é Deus?" Isso me faz lembrar que não sou infalível e me ajuda a acertar o passo de dança com meu parceiro – a dança do dar-e-receber que retrata a verdadeira relação de amor.

SEJAM BEM-VINDOS, PROFESSORES DA PACIÊNCIA

Para ajudar você a praticar a paciência é necessário um verdadeiro velhaco. Não adianta praticar com pessoas delicadas e gentis, porque elas não exigem paciência.

EXTRAÍDO DE *A MÁGICA DA PACIÊNCIA*,
UMA LENDA ESCRITA POR VOLTA DE 300 A.C.

Minha boa amiga Kate tem uma irmã nove anos mais velha extremamente irritante. Desde o dia em que Kate nasceu, as duas nunca se deram bem. Um dia, quando falávamos de nossas irmãs, Kate disse algo surpreendente.

"Ruth tinha um ciúme incrível de mim porque eu roubei seu status de filha única, e, embora tenham se passado cinquenta anos, ainda existe uma tensão entre nós. Posso me queixar e reclamar por não ter um bom relacionamento com minha irmã, mas concluo que devo lhe ser grata, porque ela é a minha melhor professora. Aprendi a ter paciência lidando com ela."

Que atitude incrível, pensei comigo mesma. Termos capacidade de sermos gratos àqueles que mais nos irritam porque eles nos ensinam a ter paciência!

Lembrei-me do comentário de Kate recentemente quando contei a um dos meus clientes que estava escrevendo um livro sobre a paciência.

Ele tem uma filha adolescente, Tina, que desde o nascimento apresentou sérios problemas de aprendizado. "Você sabe", ele disse, "eu costumava rezar pedindo para ter paciência. E, aí, Deus ouviu minhas preces – ele me enviou Tina! E foi assim que aprendi a ser paciente."

O que Kate e meu cliente me mostraram é que, quando vemos as pessoas que nos desafiam como professores, em vez de as considerarmos fardos, fortalecemos nossa paciência. Deixamos de nos queixar, pois estamos conquistando algo valioso. Estamos aprendendo a abrir nossos corações, a ter compaixão, a ultrapassar nossos limites. Essa perspectiva torna a vida mais fácil. Em vez de resistir à situação que está nos afligindo, podemos usá-la para nos tornarmos mais sábios e generosos, e não amargos ou mesquinhos.

Gosto da seguinte história tibetana: um monge estava meditando sozinho em uma caverna no alto da montanha. Um dia, um pastor apareceu e, intrigado, lhe perguntou: "O que você está fazendo aqui completamente sozinho?" O monge respondeu: "Meditando sobre a paciência." Ao virar-se para ir embora, o pastor gritou: "Bem, vá para o inferno." "O quê?", gritou o monge de volta, "vá *você* para o inferno!" O pastor riu durante todo o tempo em que descia a montanha.

Como essa história ilustra, o cultivo da paciência será inútil se não soubermos utilizá-la quando precisarmos dela. O pastor era um grande professor, porque mostrou ao monge que sua compreensão era apenas intelectual. Se, em vez de reagir com impaciência, o monge pudesse ver o pastor como um professor, estaria aprendendo de verdade.

Ao abrirmos nossos corações a pessoas e coisas que nos desafiam, nos tornamos espiritual e emocionalmente mais fortes e menos propensos a sermos derrubados pelos inevitáveis transtornos da vida. Pessoas e acontecimentos difíceis podem tornar-se oportunidades interessantes para um crescimento maior, em vez de dificuldades ameaçadoras que precisamos suportar. A partir dessa compreensão, seremos mais capazes de apreciar a vida, não importa o que estiver acontecendo.

HÁ O MOMENTO DE ESPERAR E O MOMENTO DE PEDALAR COMO UM LOUCO

Se há uma característica que distingue um homem de um menino, talvez seja a paciência.

LANCE ARMSTRONG

Lance Armstrong é incontestavelmente um dos maiores ciclistas que já existiram. Seu físico é perfeitamente adequado ao esporte: seu coração é muito maior do que o normal, permitindo que bombeie mais oxigênio. Lance tem garra, determinação e é capaz de suportar um enorme desconforto físico. Mas, como relata em *De volta à vida*, ele não conseguiu vencer a mais importante corrida de bicicletas do mundo, a Volta da França, até ter aprendido a esperar.

"Eu tinha a reputação de ser um corredor de um único dia: mostre-me a linha de chegada e eu vencerei com adrenalina e raiva todos os meus adversários. (...) Mas, se eu corresse desse jeito na Volta da França, estaria fora do páreo após dois dias. Para a Volta era preciso reunir os recursos certos nos momentos certos e alimentar pacientemente a minha força no nível necessário, sem desperdiçar movimento ou energia."

Lance competiu em corridas na Europa por quase cinco anos, antes de começar a aprender a esperar. Seu treinador lhe dizia repetidamente para se segurar, mas ele corria muito durante um certo tempo e depois decaía. "Eu simplesmente não conseguia entender que, para vencer, precisava pedalar mais devagar no início. Levei um bom tempo para aceitar a ideia de que ser paciente era diferente de ser fraco."

Logo em seguida, ele teve câncer nos testículos e quase morreu. E, enquanto combatia a doença com a mesma agressividade com que pedalava, a experiência o amadureceu. Lance aprendeu o valor da espera. E venceu sete vezes a Volta da França.

Eu sempre me preocupei em não deixar que a paciência fosse um disfarce para a passividade. Quando é que a espera é a coisa certa, e quando é um pretexto? Quando é que estou sendo verdadeiramente paciente, e quando é que estou apenas deixando alguém me dominar?

As pessoas que admiro por sua paciência parecem saber qual é o momento ideal para a escolha. Elas sabem que há o momento de esperar e o momento de agir e confiam em suas próprias intuições para fazer a distinção entre os dois. Cada um de nós tem uma tendência natural em relação à pressa ou à espera, e essa tendência nos direciona se não prestarmos atenção. A inclinação juvenil de Lance era de pedalar o mais rápido possível, o que o impedia de ter energia para longas distâncias. A de outra pessoa poderia ser esperar demais e assim ficar para trás.

Não existe nenhum grande Juiz da Paciência que nos possa dizer precisamente qual é a quantidade de tempo correta para esperar por alguém ou algo. Mas, quando nos lembramos de que há um momento para esperar e um momento para acelerar, isso cria uma base que permite à nossa inteligência e à nossa intuição se manifestarem a nosso favor.

A paciência está muito relacionada à crescente confiança em nossa intuição. "A paciência e a intuição estão inextricavelmente relacionadas", escreve Barry Boyce em um artigo. "A paciência, que podemos contemplar com tal intensidade, oferece uma recompensa escondida. Quando pararmos de observar a panela, poderemos aprender que a água ferve no momento certo."

A HORA DE DIZER "CHEGA!"

As pessoas são diferentes, meu amor. Elas são muito diferentes. Algumas conseguem suportar coisas que outras não conseguem. Não é possível prever o quanto cada um consegue suportar.

ANN PETRY

Nos últimos dois anos tive uma experiência muito impressionante ligada à paciência. Eu tinha decidido vender minha editora. Surgiu um possível comprador que se mostrou muito interessado. Se ele comprasse, eu ficaria financeiramente bem para o resto da vida. Se não comprasse, talvez fosse necessário decretar falência.

Embora se movesse incrivelmente devagar, o comprador avançava pouco a pouco. De vez em quando eu telefonava para ver se poderia acelerar o processo, e ele me assegurava que estava agindo o mais rápido possível. Eu não tinha outro comprador naquele momento, pois todos os outros tinham desaparecido quando aceitei essa proposta de compra. Tudo o que eu podia fazer era esperar até ele terminar o processo de análise e tomar uma decisão.

Muitas vezes, eu acordava no meio da noite, dividida entre a ameaça da falência e a esperança de nunca mais precisar me preocupar com dinheiro. Entre a possibilidade de um desastre e a de um grande ganho, não tinha outra opção senão esperar.

Um dos meus problemas com a paciência está no medo de que o meu botão de espera não esteja funcionando bem. Às vezes mostro-me disposta a esperar anos por alguma coisa; em outras, nem mesmo alguns segundos. Sei muito bem que há muitas situações em que deveríamos dizer "Basta! Não vou esperar mais". Como, por exemplo, "Não vou esperar mais que você pare de beber. Prefiro deixá-lo a assistir você se matar". Ou "Não suportarei nem mais um segundo as ofensas físicas e verbais de determinada pessoa". Ou "Nós estamos nos reunindo há meses e continuamos parados no mesmo lugar. Acho que chegou a hora de desistir desse negócio". Qual é o melhor critério para escolher a paciência, em vez de desistir?

No entanto, como Ann Petry sugere, cada um tem seu ponto-limite, e o meu varia também de acordo com a situação. Sei que, para a prática da paciência, é fundamental saber quando parar de ser paciente. Mas somente você é capaz de saber qual é esse momento.

Às vezes, mentalmente, estipulo um prazo final: vou esperar durante seis meses e aí reavaliarei. Tenho uma sócia que usa a regra das três reuniões: se nenhum avanço ocorrer nas três reuniões, ela cai fora. Em algumas ocasiões, uso um indicador de amargura. Se eu estiver começando a me sentir excessivamente irritada e amarga, talvez esteja na hora de dizer "Basta!".

Como muitas situações exigem uma paciência maior do que aquela que imaginamos, este é um campo muito complexo. Talvez seja necessário esperar apenas mais um dia, mais uma semana, tentar mais uma vez. Livros (como este aqui!) estão cheios de histórias sobre pessoas que insistiram além do que era plausível e finalmente conseguiram o que queriam.

É por isso que só você, com a sua própria sabedoria, poderá julgar. Além disso, é necessário conhecer seus limites externos.

O fim da minha dramática história de espera? O homem acabou não comprando minha editora. Por fim, uma outra pessoa o fez. Não fui à falência nem fiquei rica, mas aprendi muito sobre a paciência. E, por isso, agora me sinto bem mais preparada para decidir desligar o motor da paciência se achar que está na hora.

ESTEJA AQUI AGORA

Todos os momentos representam um começo.
Todos os momentos representam um fim.

MARK SALZMAN

Eckhart Tolle é um orientador espiritual que em sua juventude era tão ansioso e deprimido que pensava frequentemente em se suicidar. Mas no dia em que fazia 29 anos ele teve uma experiência de iluminação que o deixou com uma profunda "sensação de paz" que permanece até hoje, 13 anos depois. Ele conta que vivenciou o "poder do agora".

"A percepção plena de que o momento atual é tudo o que você possui", ele escreve em seu best-seller *O Poder do Agora*. Qualquer dor ou conflito que sentimos representa sempre "alguma forma de inconformismo, alguma forma de resistência ao que é. (...) Você não quer o que tem e você quer o que não tem". Quando aceitamos o momento presente como ele verdadeiramente é, deixam de existir os problemas e "passam a existir apenas situações a serem resolvidas agora, ou ignoradas e aceitas como parte da realidade do momento presente, até mudarem ou poderem ser resolvidas".

As palavras de Tolle têm profundas implicações para aqueles que buscam a paciência. Pense em uma ocasião recente em que você perdeu a paciência. Isso aconteceu porque uma determinada coisa estava acontecendo mais uma vez? Mais uma vez ele se retirou enquanto você estava falando. Mais uma vez ela se esqueceu de pagar as contas. Mais uma vez coube a você ter de limpar a bagunça.

Ou isso foi causado pelo medo do futuro, de talvez não conseguir acabar um projeto a tempo, ou de seus sonhos nunca se concretizarem? Qualquer que tenha sido a situação, a sua perda de paciência se deu por causa de um desligamento do presente, um descontentamento com o passado ou uma preocupação com o futuro.

É por isso que, quando se trata de paciência, uma das melhores coisas a fazer é manter a total consciência do momento presente. Eu estou aqui neste momento. Este momento que nunca aconteceu antes e jamais acontecerá outra vez. A impaciência sempre está relacionada ao passado (Isso já aconteceu muitas vezes antes) ou ao futuro (Quando será que o que eu quero vai acontecer?). Estar no presente tem a ver com o agora, em que o que é simplesmente é.

Quando conseguimos viver plenamente o momento presente, a preocupação diminui ou mesmo desaparece. Não há nada a nos atrair ou repelir. Estamos apenas numa situação determinada – em uma fila de carros numa tarde de domingo, ouvindo o barulho de um avião voando sobre nossas cabeças, sentados em frente a um computador lendo e-mails, preparando o jantar.

A paciência é a disposição de estar no *agora* exatamente como ele é. Mesmo que desejemos, esperemos ou rezemos para que um dia a situação atual venha a mudar, a paciência nos permite ter o máximo possível de felicidade e satisfação no exato momento que estamos vivendo.

Isso parece fácil de fazer quando a vida vai bem. Mas é também o segredo para sobreviver à adversidade. O corajoso teólogo protestante Dietrich Bonhoeffer compreendia isso. Em *Letters and Papers from Prison* (Cartas e documentos da prisão), escrito enquanto esteve preso pelos nazistas, ele diz: "O que distingue um homem adulto de um jovem imaturo é o fato de ele poder encontrar seu centro de gravidade em qualquer lugar onde esteja naquele momento."

Todos nós temos nossa própria maneira de ter consciência desse momento. No romance *A ilha,* de Aldous Huxley, papagaios coloridos são ensinados a gritar repetidamente "Atenção. Aqui e agora. Atenção. Aqui e agora", para ajudar os ilhéus a se lembrarem.

Na ausência de um papagaio que fala, você pode tentar uma técnica simples de Thich Nhat Hanh. Ao respirar, diga a si mesmo: "Inspirando, estou consciente de que estou inspirando. Expirando, estou consciente de que estou expirando." Você se surpreenderá com a calma e a paciência que experimentará em segundos. A partir desse ponto de calma, ficamos mais preparados para saudar a vida como ela se revela, instante após instante.

4

AS PRÁTICAS DA PACIÊNCIA

A maneira mais rápida e certa de viver
com dignidade é ser realmente o que aparentamos ser.
Todas as virtudes humanas aumentam e se fortificam
quando as praticamos e as vivenciamos.
SÓCRATES

Em última análise, nossa tarefa como pessoas em busca da paciência é aumentar nosso nível de consciência. Novas pesquisas sobre o cérebro sugerem que o tempo entre o impulso e a reação é de meio segundo. O nível de consciência aumenta esse tempo em mais meio segundo. Esse meio segundo a mais é o espaço em que a paciência se torna uma opção viável. Sem essa pausa, nós reagimos a partir da parte emocional de nossos cérebros, que busca obter o que queremos naquele exato minuto, mesmo que a execução do desejo possa não nos trazer benefícios.

As práticas sugeridas aqui ajudarão você a aumentar seu nível de consciência e, portanto, o seu leque de escolhas. No início, temos que treinar conscientemente para perceber a forma e o tempo de reação do nosso impulso. Ao optarmos pela paciência, seremos mais capazes de avaliar o que será melhor para nós. Portanto, quanto mais praticarmos, mais automática se tornará a paciência, e chegará o momento em que tomaremos nossa decisão sem nem mesmo estarmos conscientes da escolha que fizemos.

DIGA A SI MESMO A VERDADE SOBRE A SUA POSIÇÃO NESTE EXATO MOMENTO

Algo acontece quando não resistimos,
quando não nos odiamos por causa do que estamos
vivenciando. Nossos corações se abrem...
SHARON SALZBERG

Há dois anos deparei-me com o livro de Robert Fritz, *The Path of Least Resistance* (O caminho da menor resistência). O trabalho de

Fritz é sobre mudança consciente: como pessoas e organizações mudam deliberadamente. Sua ideia, baseada nas leis da física, é muito simples. Começamos dizendo a nós mesmos a verdade sobre o que queremos e, sem fazer julgamentos ou críticas, onde estamos nesse exato momento em relação ao que queremos. Portanto, para começar a cultivar mais a paciência, precisamos saber primeiro o nível de paciência que já temos.

Fritz acredita que não adianta você apenas dizer que quer "mais" paciência. Dizer apenas "mais" é muito vago. Então, como medir a paciência? Como a paciência é uma qualidade que você exibe com maior ou menor intensidade num determinado momento, podemos medi-la em uma escala de -5 a +5, com -5 significando seu nível de paciência mais baixo e +5, o mais alto.

Pense na sua própria vida. Quais são os comportamentos e sentimentos que correspondem a -5 para você? Quais são os que correspondem a +5? Para mim, -5 é arremessar alguma coisa ou dizer algo realmente cruel para outra pessoa. É sentir uma imensa fúria que eu não consiga controlar. Um +5 é manter-me serena quando Ana se atrasa e eu preciso deixá-la na escola e estar em uma reunião dali a vinte minutos, mas ainda assim arranjo tempo para ouvir o que ela está dizendo.

A partir dessas duas classificações, pense nas situações de sua vida e determine onde, de modo geral, você gostaria de estar e onde passa a maior parte do seu tempo. Para mim, eu diria que realmente gostaria de estar em 4,5 e que provavelmente estou em 2.

Quando dizemos para nós mesmos a verdade sobre onde estamos e onde queremos estar, percebemos que há um espaço entre os dois pontos. Esse espaço, afirma Fritz, é uma coisa boa. Ele a chama de tensão criativa, porque ela permite que algo novo nasça quando forçamos a energia a se mover da realidade atual para o resultado desejado. Você nem mesmo precisa se preocupar com *como* exatamente isso acontecerá, diz Fritz. Diga a si mesmo a verdade sobre a sua realidade atual (sem se julgar ou repreender), mantenha seu objetivo enquanto experimenta determinadas situações e observe o que acontece.

Experimente as práticas que vou lhe mostrar e siga as que lhe parecerem mais atraentes. Daqui a um mês verifique novamente (isso leva tempo para funcionar). Quais são os seus números agora?

SINTONIZE-SE NA PARTE DA MANHÃ

Foram necessários tempo e prática...
para compreender que a maneira como iniciamos
o dia determina o ritmo de tudo o que virá depois.

TRACY D. SARRIUGARTE E PEGGY ROWE WARD

Tenho uma amiga que é professora do pré-escolar. Um dia, ela compartilhou comigo um de seus maiores segredos sobre educação de filhos: "Assim que acordar, passe despreocupadamente vinte minutos com seus filhos, e o resto do dia transcorrerá com muito mais tranquilidade. Você terá menos dificuldade em fazê-los prepararem-se para a escola, menos manha quando deixá-los e menos conflitos no fim do dia." Segui seu conselho e ele se mostrou incrivelmente eficaz. Quando comentei isso, ela me disse que eu ficaria surpresa com o número de pais que afirmam que não têm vinte minutos sobrando, e por isso passam o dia inteiro brigando com seus filhos e, no final, gastam muito mais do que vinte minutos.

Para mim, essa é uma história que ilustra como nós podemos facilmente desperdiçar tempo e dinheiro. É também sobre como o ambiente da parte da manhã realmente afeta o que acontece durante o resto do dia. Muitas pessoas, em especial as mulheres, me contam que, quando dedicam nem que seja apenas dez minutos a si mesmas assim que acordam, se mostram muito mais flexíveis no resto do dia. Filhos, colegas de trabalho, maridos – todos parecem um pouco menos sufocantes quando elas reservam alguns preciosos minutos para se sintonizarem consigo mesmas em primeiro lugar.

Isso acontece porque parte da nossa falta de paciência decorre do fato de não termos tempo para prestar atenção em nós mesmos, por estarmos sendo puxados em tantas direções. Não é surpresa, portanto, se ficamos tão impacientes com os outros – estamos sendo impacientes com nós mesmos!

Neste exato minuto, pare alguns segundos para tentar descobrir quando e onde você pode arrumar tempo para sintonizar-se consigo mesmo na parte da manhã. Em geral, eu acordo antes do Don e da Ana e fico na cama saboreando esse momento em que nada é exigido de mim. Mas você também pode aproveitar dez minutos no estacionamento antes de dirigir-se para o escritório ou para a escola de seus filhos. Cabe a você descobrir.

Esses poucos minutos são a sua chance de se preparar para o dia que está iniciando. Como é que você está se sentindo? No que você está pensando? Qual é o seu desejo? Está precisando de alguma ajuda? Com que qualidade você quer viver seu dia – com alegria, paz de espírito, generosidade? Relaxe o corpo e respire fundo algumas vezes.

Depois, tire alguns minutos à noite para mentalmente rever o dia e verificar se a sua sintonização da manhã causou efeito. Você ficou mais maleável e flexível? De modo geral, você atravessou o dia de forma mais positiva? O que funcionou e o que não deu certo? O aprendizado ocorre quando paramos e refletimos sobre os acontecimentos. Portanto, dedique a você esse minuto à noite para aprender com as experiências do dia.

Repita isso durante uma semana e decida então se é algo que você gostaria de fazer regularmente. A nossa reserva de paciência é recomposta quando damos atenção às nossas próprias necessidades.

QUANDO É QUE SOU PACIENTE? DEIXE-ME CONTAR AS MANEIRAS

Para aprender a ter paciência,
você precisa primeiro ter muita paciência.

STANISLAW J. LEC

Ana veio da China, e quando a adotamos tinha um ano e estava muito maltratada. Não conseguia nem mesmo se virar, pesava apenas sete quilos e tinha queimaduras de segundo grau no bumbum por ter ficado muito tempo deitada na própria urina. Assim que vi aquela criança tão bonita que tinham deixado definhar durante 13 meses, todos os meus instintos maternais entraram em ebulição. Tomei uma decisão: esse precioso ser só precisaria de amor e de atenção para se desenvolver.

A partir daquele momento tive toda a paciência de que precisava. No consultório do pediatra, eu me recusava a olhar as tabelas de estatísticas que descreviam em que ponto ela deveria estar. Recusava-me a comparar seu peso e altura com os das crianças da mesma idade. Quando, aos três anos, ela começou a gaguejar, recusei-me a chamar sua atenção para o problema, concedendo-lhe o tempo necessário para que ela resolvesse isso sozinha.

Don e eu a abraçávamos muito, dormimos com ela até os quatro anos e, quando estávamos em casa, passávamos a maior parte do tempo com ela. Hoje, com cinco anos e meio, Ana é uma menina esperta, bonita, articulada, campeã de bambolê e está prestes a entrar para a pré-alfabetização na sua escola.

Nossa filha é a prova de que o amor pode conquistar tudo, mas é também a pista para o local onde a minha paciência reside com facilidade. Eu tenho uma imensa paciência com as pessoas. Posso ocasionalmente ficar frustrada, aborrecida ou até mesmo zangada, mas, no fim, minha paciência retorna. Eu simplesmente me recuso a desistir de um ser vivo que entrou na minha esfera.

Você também possui uma enorme paciência para alguma coisa determinada e, quanto mais descobrir o que estimula a sua paciência, mais poderá utilizá-la em qualquer circunstância. Aqui vai uma maneira de começar. Faça uma lista das situações em que você é naturalmente paciente. Isso ocorre com pessoas? Com adultos e crianças, ou mais com uns do que com os outros? Com animais? Ou, como minha filha, fazendo coisas com as mãos? Você persiste até alcançar seu objetivo, apesar das dificuldades? Onde e como a sua paciência se apresenta?

Agora analise a sua lista e estude seu padrão de sucesso. Reflita sobre o que torna a paciência possível para você nessas ocasiões, quando é mais fácil ser paciente. Você provavelmente não tem consciência disso, mas, na realidade, alguma coisa dispara a sua paciência. Pode ser um sentimento, uma imagem em sua mente, uma frase que você repete. Embora não perceba, você certamente faz alguma coisa que aumenta a sua capacidade de paciência.

Quando Bob, um cliente, fez esse exercício, descobriu que é muito paciente com problemas que surgem no trabalho, porque vê uma imagem de si mesmo alcançando o sucesso no passado, e isso lhe dá a confiança de que irá resolver a situação atual. Comigo, sou paciente sempre que sinto um profundo desejo de estimular o crescimento de outro ser vivo. Essa sensação torna minha paciência virtualmente infinita.

Depois de descobrir seu padrão de sucesso, você poderá usá-lo em situações que normalmente desafiam a sua paciência. Por exemplo, eu agora utilizo melhor a minha paciência quando sou obrigada a esperar – o que normalmente me deixa exasperada. Tento visualizar a experiência como uma oportunidade para estimular meu próprio crescimento.

Ao lidar com os filhos, que era quando Bob frequentemente perdia a paciência, ele começava a pensar no investimento que estava fazendo para a felicidade deles e conseguia se acalmar. Com isso, deixou de perder a paciência em casa com tanta frequência. Uma amiga, sempre que se vê perdendo a paciência, repete para si mesma a primeira frase da *Desiderata*: "Siga placidamente por entre o ruído e a pressa e sinta a paz que pode haver no silêncio."

Você é paciente. Ao descobrir onde e como, poderá aprender a acessar sua paciência quando mais precisar dela.

SAIBA O QUE DEFLAGRA A SUA IMPACIÊNCIA

A paciência... é cultivada por meio do processo racional de análise... É essencial começar nosso treinamento da paciência quando estamos calmos, e não quando sentimos raiva.

DALAI-LAMA

Meu pai era uma pessoa gentil. Isto é, a maior parte do tempo. E eu era uma boa criança que só queria agradá-lo. Na maioria das vezes, eu conseguia. Mas, de vez em quando, ele perdia a paciência comigo. Rangia os dentes, contraía o maxilar e me tratava com rispidez. Minha terrível ofensa? Escovar os dentes fora do banheiro!

Lembrei-me disso um dia desses quando a mãe de uma amiga de Ana disse que, quando se tratava de ter paciência com seus três filhos, as manhãs eram o pior horário. "Eu não sei por quê", ela confidenciou. "Talvez seja a pressão para fazer todo mundo sair na hora, mas o fato é que eu perco a paciência quase todas as manhãs."

Isso me fez pensar sobre o que me faz perder a paciência com mais facilidade. Esperar em filas me veio logo à mente. Mas as outras zonas de perigo para mim são os aparelhos eletromecânicos. Deviam estar pensando em mim quando criaram a palavra "desajeitada". Fazer qualquer coisa com as mãos é incrivelmente desafiador. Sempre foi assim. Na época em que tive de aprender a costurar, minha irmã saía de casa quando me via abrindo a máquina de costura.

Até hoje eu me sinto a "mulher desajeitada" quando se trata de fazer qualquer coisa que exija coordenação motora ou qualquer habilidade mecânica. Adoro cozinhar, mas, quando vou para a cozinha, veto qualquer receita que exija preparativos e formatos muito complexos. Se não fizer isso, é grande a probabilidade de eu acabar arremessando um peito de frango contra a parede.

Quais são os fatores que deflagram a sua impaciência? Eles são diferentes para cada um de nós. Para minha mãe, é ver bagunça: pilhas de brinquedos largados, roupas no chão, camas desarrumadas. Para meu marido, é ser interrompido por Ana quando está tentando me contar alguma coisa. Para a minha amiga Debra, são as mensagens eletrônicas que nos impedem de falar com uma pessoa real.

Pare um instante e gaste dois minutos anotando em um pedaço de papel ou na sua mente quando e onde você fica mais impaciente.

Quando percebemos exatamente o que é que nos faz "perder a paciência", aumentamos o leque de opções de respostas. Mas isso só acontece se não nos julgarmos. Se nos censurarmos por ficarmos impacientes quando alguém está falando devagar, ou por estourarmos com nossos filhos, não mudaremos. Caímos num círculo vicioso quando nos recriminamos por perder a paciência, pois, ao fazer isso, nos impacientamos mais ainda. Mas, se pudermos simplesmente constatar nosso comportamento em um momento de calma – "Ah, eu de fato enlouqueço todas as manhãs, na hora de arrumar as crianças. O que posso fazer a respeito?" –, seremos mais capazes de mudar.

Dê uma olhada na sua lista. Pense no que pode fazer para contornar as situações que você considera mais difíceis. Se achar que alguma é incontornável, procure entender e aceitar sua dificuldade. Uma vez ouvi alguém dizer: "Estou fazendo o melhor que posso agora. Se eu pudesse fazer ainda melhor, eu faria." Que diálogo afetuoso essa pessoa teve consigo mesma! Disse a verdade e reconheceu que queria melhorar, tudo isso sem se culpar!

Sabem o que fiz com minha falta de jeito? Aprendi a tranquilamente passar a tarefa para meu marido ou até mesmo para a minha habilidosa filha de cinco anos. Quando preciso utilizar um aparelho sozinha, lembro que de fato tenho dificuldade e, dessa forma, não fico tão aflita com a situação. E não chego perto de uma máquina de costura há 35 anos.

APRENDA A RECONHECER SEUS PRIMEIROS SINAIS DE AVISO

Os problemas nada mais são do que oportunidades vestindo roupas de trabalho.

HENRY J. KAISER

Pelo telefone, Cynthia me contava como seu humor oscila e como, sem motivo aparente, ela perde a paciência. "Num minuto estou bem e, no minuto seguinte, me torno uma megera. E essas explosões vêm sem nenhum aviso prévio", ela se lamentava.

A impaciência frequentemente é assim, como uma repentina tempestade de verão que surge do nada no meio de um dia radioso. Quando isso acontece, o máximo que podemos fazer é evitar grandes danos e, uma vez passada a explosão, pedirmos desculpas a quem ofendemos e perdoarmos a nós mesmos.

Apesar de não os percebermos, existem sinais de que estamos prestes a explodir. São como as luzes vermelhas no painel do seu carro. *Nada* acontece de repente, embora possa parecer que sim. Se ficarmos bem atentos, descobriremos que há determinadas situações que nos empurram nessa direção.

Para alguns pode ser um contexto que mobilize e provoque uma sensação crescente de irritação. Para outros, um sentimento de medo e ameaça. Para outros ainda é a sensação de insegurança ou de coração disparando.

O primeiro passo para controlar a perda explosiva da paciência é procurar perceber qual é o seu sinal de aviso. Para mim, é indiscutivelmente uma frase que surge na minha cabeça, algo como "não aguento mais, não vou continuar aceitando isso". Para você, pode ser uma coisa completamente diferente. Investigue com calma, constatando, sem se culpar. Você está trazendo para o seu consciente algo que geralmente funciona abaixo do seu nível de percepção habitual. A melhor maneira de investigar o que ocorre é, após um episódio de impaciência, examinar o que aconteceu dentro de você antes da explosão.

Quando tiver descoberto quais são os primeiros sinais de alerta, experimente o passo seguinte. Nessas ocasiões, faça algo diferente. Levante-se, peça licença para ir ao banheiro, cante uma canção qualquer em sua mente, afaste-se da pessoa ou da situação. Ao interromper o mecanismo que geralmente faz você passar da paciência para a impaciência, você aumenta a possibilidade de manter a calma.

Quando Cynthia fez essa experiência, levou algum tempo para identificar seus primeiros sinais de aviso. Mas, depois de prestar atenção diversas vezes, percebeu que ficava levemente ofegante pouco antes de estourar. Passou a lançar mão de vários recursos – entre eles, respirar fundo lentamente. Deu certo!

Analise seus primeiros sinais de aviso e tente fazer algo diferente na próxima vez que a "luz vermelha" acender. Dessa maneira, as tempestades da impaciência se afastarão e não pegarão você de surpresa.

FAÇA UMA PAUSA

Nada é mais eficaz do que inspirar e expirar lenta e profundamente para administrar algo que você não pode controlar, e a seguir se concentrar naquilo que está bem na sua frente.

OPRAH WINFREY

Gary Mack trabalha com atletas profissionais, ajudando-os a maximizar seus desempenhos. Em seu livro *Mind Gym* (Ginástica da mente) ele também recomenda o poder da respiração consciente para obter concentração e acalmar a mente. Para conseguir isso, começa fazendo os atletas efetuarem o que ele chama de "exercício sem respiração".

"Primeiro, eu digo ao grupo que se trata de uma competição. Que vou observar cada um deles e julgar o desempenho individual cuidadosamente. A seguir, começo a gritar ordens: 'Olhe para a esquerda...

olhe para a direita... olhe para a esquerda... olhe para a direita... olhe para a direita... olhe para a direita...' À medida que executam o exercício, a ansiedade deles aumenta. Seus padrões de respiração mudam. Sem perceber, muitos prendem a respiração." Depois de fazê-los observar isso, ele os ensina a respirar conscientemente em situações de estresse.

Concluí que boa parte da minha vida parece com o "exercício sem respiração" de Mack: olhe para cá, para ali, para lá. Constantemente prestando atenção, constantemente tentando acompanhar. Será que algo tão fácil quanto um exercício de respiração seria capaz de aumentar a minha paciência e a minha paz de espírito? Pois eu descobri que sim. Alguns momentos de respiração consciente – já que respiramos o tempo todo sem que o percebamos – permitem uma pausa para nos lembrarmos o que de fato é importante na situação e para não reagirmos apenas por impulso.

A respiração consciente também nos ajuda a sintonizar com nossos corpos e a observar o que está ocorrendo internamente. A paciência e a impaciência não são apenas sentimentos, mas sim sensações em nossos corpos. Para mim, paciência significa uma sensação de grande calma, um profundo e crescente sentimento de bem-estar, enquanto a impaciência é uma sensação de nervosismo, agitação e desequilíbrio.

Quando percebemos a sensação de impaciência em nossos corpos, podemos usar a respiração consciente para retomar a paciência. Essa respiração transmite a nosso sistema nervoso um sinal para começar a relaxar. Em segundos, nossos músculos se afrouxam, nossa pressão arterial cai, nossos ombros relaxam e nosso coração passa a bater um pouco mais devagar. Nesse estado de maior calma física, podemos reagir com mais eficiência, usando todos os nossos recursos emocionais e mentais.

Existem muitas maneiras de respirar com calma. Em um relatório sobre redução de estresse publicado pela Harvard Medical School, há uma técnica que pode ser feita em menos de um minuto. Ela é especialmente eficaz porque combina respiração e toque, o que também é tranquilizante.

Ponha a mão em sua barriga, logo abaixo do umbigo. Inspire fundo e sinta seu abdome inflar. Segure a respiração, contando até três, e a seguir expire, sentindo o abdome esvaziar. Inspire novamente, contando até três. Repita até se sentir mais calmo.

Você pode usar essa técnica em qualquer lugar, em qualquer ocasião que cause estresse – sob a pressão de um prazo final, quando seu computador de repente pifa, quando seus filhos estão irritando você ao máximo, quando se preocupa em chegar a um determinado lugar na hora. Você pode incentivar os seus familiares e amigos a adotarem esse procedimento quando suas paciências estiverem se esgotando.

Não deixe de experimentar essa fórmula da paciência. Ela é simplesmente a melhor maneira de nos recompormos rapidamente. Como Thich Nhat Hanh garante: "É preciso apenas um ato de inspirar e expirar conscientemente para entrar de novo em sintonia consigo mesmo e com tudo a seu redor, e três atos de inspirar e expirar conscientemente para manter essa sintonia." Por mais ocupados que estejamos, todos nós temos tempo para isso!

DESÇA PARA A BASE DA ÁRVORE

Se todos tivessem entrado em pânico quando os barcos lotados de refugiados se depararam com tempestades ou piratas, tudo estaria perdido. Mas, se apenas uma pessoa permanecesse calma e centrada, isso seria o bastante. Ela indicaria o caminho para que todos sobrevivessem.

THICH NHAT HANH

O monge budista Thich Nhat Hanh é vietnamita. Quando era jovem, todas as pessoas que mais amava – sua família, seus colegas monges, as crianças nos orfanatos que ele tinha fundado – morreram na guerra. No entanto, Thich Nhat Hanh é um dos seres humanos mais calmos e felizes que existem. Isso acontece, ele diz, porque a paz pode ser encontrada em todas as ocasiões, mesmo quando a vida parece mais desafiadora.

Uma das melhores maneiras de descobrir a paz é sair da sua mente e entrar no seu corpo. Hanh compara isso a estar em cima de uma árvore durante uma tempestade. Se o vento é muito forte, quem se encontra no topo da árvore será sacudido violentamente. Os que estão na parte robusta do tronco não serão abalados.

Como é que se chega à base da árvore? Uma das maneiras é se concentrando. Assim como a respiração consciente, a concentração é uma forma física de colocar-se por inteiro no momento presente, com a mente e o corpo em harmonia. A partir desse ponto de inabalável calmaria, ficaremos muito mais bem preparados para lidar pacientemente com o que estiver ocorrendo ao nosso redor, até mesmo com piratas invadindo o barco.

A concentração tem sido uma das técnicas mais úteis que aprendi no cultivo da paciência. Aqui está o exemplo mais impressionante. Desde a primeira noite após termos adotado Ana, ela acordava de madrugada, berrando. Durante quase quatro anos, isso acontecia uma, duas, cinco vezes por noite, nossa filha chorando e esperneando histericamente, às vezes por quase 15 minutos. Ela não estava realmente acordada; os especialistas chamam esse fenômeno de terror noturno.

No caso de Ana, acredito que ele seja consequência de seu abandono quando era bebê. Além de pegá-la no colo e dizer-lhe que estava segura, não havia nada que pudéssemos fazer até ela adormecer profundamente. Quando ficou maior, tornou-se impossível pô-la no colo porque seus chutes eram fortes demais. Tudo o que Don e eu conseguíamos fazer era sentar ao seu lado, dizer-lhe que estava segura e não deixá-la sozinha.

Como qualquer pai ou mãe sabe, é muito difícil ver uma pessoa em agonia e não fazer nada. No começo, eu ficava muito agitada, até que um dia lembrei-me que podia me concentrar.

Isso foi muito eficaz. Pude ficar totalmente presente com Ana o tempo necessário para ela se acalmar, sem perder a paciência, noite após noite, mês após mês, até nossa filha parar de acordar.

Isso funcionou para outras coisas também. Usei essa tática quando Ana, aos dois anos, se jogava no chão com acessos de raiva. Eu me concentrava e, com calma, dizia: “Sei que você está zangada. Sinto muito por você estar tão aborrecida.” Como pude me mostrar presente sem me deixar envolver em suas tentativas de manipulação, seus faniquitos logo acabaram.

Agora eu uso essa tática todas as vezes que alguém me ataca com agressividade, frustração, aflição ou medo. Tornou-se automático. Eu me concentro e daquele estado de maior calma consigo reagir de uma maneira mais saudável para mim e para a outra pessoa.

Eu me concentro ao prestar atenção em minha barriga e me imaginar cercada por uma esfera de energia distante apenas poucos centímetros do meu corpo, inclusive debaixo de meus pés. Algumas pessoas se concentram procurando lembrar o que realmente é importante para elas, prestando atenção nos batimentos de seu coração. As mulheres, às vezes, pensam em seus úteros. Qualquer coisa que traga o seu centro de gravidade para a barriga funciona.

Para praticar, experimente uma das técnicas descritas aqui. Quando se sentir pronto, peça a alguém para empurrar seu ombro com delicadeza, como se tentasse derrubá-lo. Se você estiver desconcentrado, um delicado empurrão o fará se mover. Se estiver concentrado, ficará virtualmente imóvel.

Esse centro de gravidade não é um ponto que fica sempre no mesmo lugar. Qualquer um de nós o encontra e o perde inúmeras vezes. Mas quanto mais praticarmos, mais fácil e intuitivo será encontrá-lo em casos de necessidade. Pratique quando não estiver precisando, com um parceiro pouco agressivo. O objetivo não é você se estatelar no chão, mas ter a sensação de descobrir seu centro.

Após fazer isso uma dúzia de vezes ou até sentir que conseguiu (você saberá), experimente quando sentir o seu termostato subindo. Você fica mais paciente e produtivo quando se concentra? O que o ajuda a fazer isso? O que o ajuda a se lembrar de tentar quando a sua paciência começa a evaporar?

Firmemente preso na raiz da árvore do seu ser, você estará muito mais capacitado a enfrentar as tempestades que os outros colocam no seu caminho.

BOM SENSO EM VEZ DE FÚRIA NO TRÂNSITO

Mais vale o homem lento para a ira do que o herói.
E um homem senhor de si do que
o conquistador de uma cidade.
PROVÉRBIOS 16:32

Em *Road Sage* (Bom senso no trânsito), Sylvia Boorstein fala sobre um motorista de limusine com quem ela uma vez ficou presa em um engarrafamento quando estava indo participar de um programa ao vivo na televisão. Ele trabalhava para a emissora e portanto sabia o quanto era importante cumprir o horário. No entanto, embora estivessem praticamente parados, ele não perdeu a calma e conseguiu fazer com que ela chegasse pontualmente. Quando Sylvia lhe perguntou como conseguia ficar tranquilo apesar das enervantes circunstâncias em que se via envolvido todos os dias, o homem explicou: "O que faço poderia se tornar uma dor de cabeça para mim se eu permitisse que fosse."

Esse motorista sabia algo que muitos de nós precisamos lembrar: podemos escolher a maneira pela qual reagimos às situações em que nos encontramos. Para a maioria de nós, essas circunstâncias envolvem imensas quantidades de tempo em ruas e estradas engarrafadas. Dia após dia, assim como o sábio motorista da limusine, podemos decidir entrar em pânico pelo medo de nos atrasarmos, ficar furiosos com os outros motoristas ou relaxar e curtir o trajeto, devagar como está.

Cada vez mais escolhemos a primeira opção. A American Automobile Association (AAA) relata que a direção agressiva é responsável por dois terços de todos os acidentes, e a California Highway Patrol relata que na área da baía de São Francisco eles recebem quatro ou cinco reclamações de direção perigosa na hora do rush.

Não é que as pessoas não tenham justificativas; há uma relação direta entre o nível de engarrafamento nas ruas e o nível de agressividade dos motoristas. Mas há um outro motivo para a fúria no trânsito estar se tornando tão comum: ela é uma forma disfarçada de descontar nossas frustrações em relação a outras coisas. Você conhece aquela velha tirinha na qual um homem chega em casa após um dia difícil no trabalho e grita com a mulher, que grita com os filhos, que chutam o cachorro? Na psicologia, o termo para isso é "transferência". Em vez de expressar seus sentimentos à pessoa ou à situação que está causando irritação, você estoura com alguém "mais seguro".

Como passamos muito tempo presos no trânsito, o trajeto de ida e volta do trabalho é o horário ideal para se praticar a paciência. A paciência fará com que não causemos acidentes ao ficarmos mudando de pista o tempo todo, além de nos ajudar a manter distância do carro da frente e a não ultrapassar perigosamente outros veículos. E quando os outros motoristas se comportarem mal conosco, a paciência nos permitirá evitar uma confrontação cujo resultado pode ser desastroso.

Se um motorista agressivo ou uma simples fila de carros parados está irritando você, é útil relaxar conscientemente seu corpo, especialmente suas mãos, que seguram o volante. Olhe a paisagem em volta, descubra uma excelente estação de rádio, ouça CDs.

Note a diferença que a escolha de manter a calma faz em seu percurso e na maneira como você se sente ao chegar.

EMITA UM SINAL DE ALERTA A SEUS FILHOS

Eu: "Ana, estou perdendo a paciência."
Ana (três anos): "Não se preocupe, mamãe, eu ainda tenho alguma."

Quando eu era criança, uma das coisas que mais me faziam sofrer era ser agredida de várias formas – gritos, castigo e até mesmo agressão física – pelo adulto que estava tomando conta de mim, sem que eu tivesse a menor noção de como ultrapassara o limite de sua paciência. Enquanto eu aguentava o castigo, jurava que jamais trataria meus filhos daquela maneira. E mantive a minha promessa.

Durante todos os anos em que ajudei a criar meus dois enteados (que já são adultos), e agora com Ana, sempre emiti um sinal de aviso quando minha paciência estava prestes a se esgotar. Dessa maneira, eles sabiam o risco que estavam correndo e podiam escolher mudar seu comportamento ou aguentar as consequências. Eles nunca foram surpreendidos por minha raiva. Sempre houve um sistema de aviso prévio em funcionamento.

Esse sistema funciona incrivelmente bem há 25 anos. As crianças sempre levaram a sério o sinal de aviso e modificavam seus comportamentos assim que o percebiam, e eu não precisei me transformar na bruxa malvada e sofrer por sentimento de culpa e remorso depois.

A emissão de um sinal de alerta oferece maior proteção às crianças confiadas a você. Mas é também útil para nós, pais. Às vezes, o fato de nos ouvirmos dizer em voz alta que estamos no limite da paciência nos dá força para manter o controle. Ou, pelo menos, acabamos nos respeitando mais porque conseguimos emitir o sinal antes de estourar. Quando sinalizamos antes de agir, provamos a nós mesmos que somos emocionalmente confiáveis e que merecemos o amor que nossos filhos nos oferecem.

Tente emitir um sinal de alerta na próxima vez que sentir a tempestade da impaciência se aproximando, e a seguir observe o que esse sinal produz em você e nos seus. Se você tem dificuldade em saber quando a tempestade está prestes a começar, tente a técnica chamada *Aprenda a reconhecer seus primeiros sinais de aviso* (ver página 79). E tenha compaixão por si mesmo quando não conseguir se segurar.

UTILIZE A SUA SABEDORIA INTERIOR

Você precisa abandonar o abrigo do seu conforto e penetrar no terreno da sua intuição. O que você vai descobrir será fantástico. Você se descobrirá.

ALAN ALDA

Quando seus filhos se formaram, Mark e Betty decidiram se desfazer de sua enorme casa no subúrbio e mudar para o centro da cidade. Procuraram durante meses, até que um dia Betty encontrou o imóvel de seus sonhos, exatamente no quarteirão que desejava. Imediatamente fizeram uma oferta e colocaram a casa da família à venda. Mas, como não conseguiram vender logo a casa antiga, perderam a nova.

"No início", disse Betty, "fiquei desolada por ter de voltar a procurar. Mas então aconteceu uma coisa estranha. De dentro de mim veio uma mensagem: 'Não desista. Este é o lugar onde você deveria viver.' Foi estranho, porque o imóvel já tinha sido vendido. Mas algo no meu interior me disse para perseverar. Durante um ano, passei pela casa a caminho do trabalho e todas as vezes o pensamento surgia: 'Continue esperando.' Então, um dia, a casa foi novamente posta à venda. Dessa vez nós tínhamos o dinheiro. E agora aqui estamos."

Acredito que o que Betty ouviu foi a voz da sua intuição. Todos nós possuímos esse conhecimento profundo e paciente capaz de nos ajudar quando estamos lutando por alguma coisa. Será que devemos continuar insistindo ou será que é melhor desistir? Devemos ficar imóveis ou partir para a ação? A nossa sabedoria interna tem o poder de nos orientar.

É ótimo ouvir a voz da nossa intuição com tanta clareza como Betty ouviu. Só que isso não ocorre com frequência. Precisamos acessar a nossa sabedoria interior de outras maneiras. Em seu livro *Stirring the Waters* (Agitando as águas), Janell Moon oferece a prática de um caderno de anotações a que ela dá o nome de "dialogando", e que pode ajudar você.

Primeiro, anote quem são as dez pessoas mais sábias que você conhece. A seguir, anote ou procure lembrar "uma preocupação que esteja ligada à sua paciência", escreve Moon. Ela continua:

"Talvez você esteja se perguntando se deve continuar com um relacionamento. Ou talvez esteja tentando descobrir as palavras mais sábias e carinhosas para discordar de uma amiga. O importante é descobrir uma situação para a qual você precise de paciência."

Agora, consulte a sua lista de pessoas sábias e veja qual delas poderia ajudar você nessa determinada preocupação. Imagine uma conversa com essa pessoa. Faça perguntas e ouça as respostas em sua mente. Você se surpreenderá ao perceber como a situação vai se tornando mais clara.

O que eu gosto nessa técnica é que ela permite que você solucione o problema do seu jeito. Quando empacamos, deixamos de recorrer aos nossos próprios recursos e ficamos impedidos de encontrar uma solução. Os conselhos de amigos, os deste livro e de outros são todos bons e válidos. Mas você se conhece melhor do que ninguém e tem dentro de si ferramentas obtidas em leituras, conversas, contatos. O método de dialogar internamente com alguém que respeitamos nos ajuda a seguir nosso coração até a resposta correta para cada um de nós.

MANTENHA ALTO O SEU NÍVEL DE AÇÚCAR NO SANGUE

Nosso sistema nervoso não é uma ficção, ele faz parte do nosso corpo físico, e nossa alma existe no espaço e está dentro de nós, assim como os dentes em nossa boca.

BORIS PASTERNAK

Eu estava dirigindo por uma estrada desconhecida no sul da Califórnia com meu então companheiro. "Estou com fome", declarei. "Preciso comer alguma coisa." Ele saiu da estrada para procurar um restaurante, mas não havia nenhum à vista. O tempo foi passando, e eu cada vez mais faminta. Comecei a reclamar mais alto. Finalmente, ele viu um mercado. "Vamos tentar esse", ele disse calmamente. Entrei no mercado e percorri os corredores. "Não há nada para comer", resmunguei e saí intempestivamente.

Durante todo o tempo em que agia como uma desequilibrada havia uma parte de mim, meu ser racional, observando meu comportamento e pensando "o que está acontecendo?". Sentia-me como se tivesse sido sequestrada por um alienígena.

Somente alguns meses depois, quando fui diagnosticada com nível de açúcar baixo no sangue, pude compreender o incidente no mercado. Se o seu nível de açúcar no sangue fica muito baixo, você se sente irritadiço, irracional – e impaciente. Eu agora reconheço o sintoma nos outros. Ele é bastante evidente: um ser humano normalmente racional de repente se torna irascível, com a racionalidade presa por um fio.

Os pais de crianças pequenas percebem isso intuitivamente – as crianças ficam mal-humoradas quando estão com fome. É por isso que os momentos logo antes do jantar são aqueles em que com frequência os humores estão mais tensos, e a paciência, muito curta.

Digo isso para fazer você lembrar que, embora as práticas da paciência sejam em sua grande maioria emocionais ou espirituais, é possível que existam motivos bioquímicos para a sua impaciência. Talvez você precise apenas comer.

Uma maneira de perceber isso é prestando atenção ao momento em que você mais frequentemente perde a paciência. Isso acontece apenas antes das refeições? Você parece recuperar seu equilíbrio após comer?

Você pode não sentir fome, apesar de o seu nível de açúcar no sangue estar baixo; portanto, é melhor investigar os resultados (eu me sinto mais paciente depois de comer) do que os sintomas (eu estou com fome). Observe-se durante uma semana e veja se consegue identificar um padrão. Se a resposta for sim, para você ou para alguém que você ama, tenha alimentos altamente proteicos à mão. Biscoitos de queijo, nozes, clara de ovo cozida ou iogurte desnatado natural são boas opções.

Manter alto o seu nível de açúcar no sangue é uma maneira fácil de dar uma ajuda bioquímica à manutenção do seu equilíbrio emocional. É simples e certamente eficaz.

DÊ UM OUTRO NOME À SITUAÇÃO

Você gostará de saber que o calor em Lucknow tem estado realmente escaldante!... É bom nos queimarmos com o calor de Deus do lado de fora, já que não nos queimamos com a paixão de Deus em nossos corações.

MADRE TERESA DE CALCUTÁ, EM UMA CARTA ESCRITA EM LUCKNOW

Para investigar a possibilidade de expandir seus negócios, uma fábrica de sapatos enviou dois representantes comerciais a uma região da África. Um dos representantes enviou um telegrama em que dizia: SITUAÇÃO IMPOSSÍVEL PT NINGUÉM USA SAPATOS. O outro escreveu de volta, radiante: EXCELENTES OPORTUNIDADES PARA FAZER NEGÓCIO PT ELES NÃO TÊM SAPATOS.

Essa anedota aparece em *A arte da possibilidade*, de Rosamund Stone Zander e Benjamin Zander. Eles a usam para mostrar que interpretamos a realidade o tempo todo. Temos, portanto, a possibilidade de escolher a melhor interpretação.

Recentemente, minha filha me fez lembrar a utilidade disso em relação à paciência. Enquanto eu preparava o jantar, Ana estava, como sempre, sentada à mesa da cozinha fazendo alguma coisa com papel e fita adesiva. Gastou pelo menos vinte minutos construindo um objeto. De repente, ao tentar colocá-lo de pé, ele desmoronou. Pensam que essa criança de cinco anos chorou, resmungou ou se queixou? Não, ela simplesmente olhou e afirmou calmamente: "Isso não foi um sucesso."

A verdade sai da boca das crianças.

O que Ana fez foi contar a si mesma uma história que lhe permitisse manter a paciência para tentar de novo. Ela poderia ter pensado: "Este papel idiota não serve para nada", ou "Eu sou muito desajeitada, é por isso que não consigo fazer isto", ou ainda "Eu nem deveria estar tentando fazer coisas como esta". Esses pensamentos e outros do gênero levariam à frustração, à irritação e à desistência.

Porém, dizer que "não deu certo" pode significar que da próxima vez ela poderá ser bem-sucedida. Assim, Ana conseguiu manter sua criatividade e sua motivação para procurar uma solução melhor. E foi o que fez, indo buscar na minha escrivaninha um papel mais grosso que tornasse a sua construção mais firme, e, a seguir, recomeçando.

Ana fez isso por instinto, mas nós adultos podemos fazer isso deliberadamente. Os psicólogos dão a essa capacidade o nome de reformulação – uma das mais possantes ferramentas que possuímos para superar sentimentos de desespero, inabilidade e irritação e convocar nossa força de vontade e nossa criatividade. Basta fazer uma pergunta simples: De que outra maneira eu posso encarar isso, de modo a aumentar a possibilidade de um bom resultado e/ou de uma maior paz de espírito?

Quando conheci meu marido, ele tinha 37 anos e nunca vivera um relacionamento que tivesse durado mais de nove meses. Apesar de ter passado muitos anos sozinho, nunca deixou de esperar pacientemente pelo amor. Uma vez, quando perguntei como ele tinha conseguido isso, Don me respondeu: "Todas as vezes que um relacionamento acabava, eu dizia a mim mesmo: 'Bem, acho que ainda tenho algo a aprender antes de poder construir um relacionamento duradouro.'" Isso é reformular. Em vez de se culpar, de culpar a outra pessoa ou o destino, ele via a situação como parte de um aprendizado, e com essa atitude conseguiu manter a paciência até o verdadeiro amor chegar.

Como é que você pode reformular os provocadores da paciência em sua vida? Na próxima vez que seu sangue começar a ferver, pergunte a si mesmo de que outra maneira você poderia ver a situação. Por exemplo, eu tenho uma amiga que diz curtir estar presa no trânsito, porque isso lhe dá tempo para pensar sem ser interrompida. De fato, qualquer situação pode ser encarada de várias maneiras – oportunidade ou exasperação, esperança ou desânimo. Sua recompensa será um enorme salto na sua capacidade de manter o ânimo e de usar a criatividade quando as coisas parecerem não estar saindo do jeito que você quer.

ARRUME OUTRA COISA PARA FAZER

Uma excelente proteção contra a raiva e os pensamentos rebeldes, contra a impaciência e as discussões é concentrar-se mentalmente em algum ótimo negócio ou interesse que, como uma esponja, sugará sua atenção e impedirá você de ficar se aborrecendo com algo que lhe desagrada.

JOSEPH RICKABY

Ana queria minha ajuda para fazer alguma coisa. Eu estava ocupada preparando o jantar. "Um minuto", eu disse. "Um minuto", ela resmungou, "um minuto é tempo *demais*". "Bem", respondi, falando igual à minha mãe, "pense em alguma outra coisa e o tempo passará mais depressa."

Lembra-se do velho ditado "O leite da leiteira jamais ferverá se você ficar olhando"? É verdade, tanto se você tiver cinco anos e precisar esperar um minuto quanto se tiver quarenta anos e for obrigado a esperar vários minutos. Quanto mais nos concentramos na espera, mais devagar o tempo passa. É por isso que, muitas vezes, a melhor prática que podemos utilizar para ter paciência é fazer ou pensar em alguma outra coisa. Preferivelmente, como Joseph Rickaby sugere na citação acima, alguma coisa que consideramos interessante.

Fazer alguma outra coisa não é só um truque para nos ajudar a ter paciência. Quando estamos em uma situação que exige paciência (e, por conseguinte, está fora do nosso controle) e direcionamos nossa atenção para algo diferente, tomamos consciência de que nem tudo na nossa vida está fora de controle. Em algumas situações ainda podemos assumir o comando; não estamos completamente submissos aos caprichos de alguém ou de algum acontecimento externo.

Quando eu trabalhava com clientes, durante a época em que esperava ansiosamente um comprador para o meu negócio, esse truque me ajudou muito. Quanto mais concentrada e eficiente com meus clientes, mais eu me lembrava que, a despeito do que acontecesse com o meu negócio, eu seria capaz de cuidar de mim mesma e da minha família. Quando Ana conseguiu se distrair com alguns lápis e papel, enquanto esperava por minha ajuda, ela provou a si mesma que não dependia inteiramente de mim para a sua felicidade. Ela podia se entreter.

Pare um minuto agora e pense em uma situação que esteja exigindo a sua paciência. Esperar pelo telefonema de alguém importante para você, aguardar os resultados de um exame potencialmente ameaçador, receber a notícia de que foi contratado. Em vez de se preocupar, será que você consegue pensar em alguma coisa divertida, necessária ou interessante para fazer enquanto espera? Que tal colocar aqueles documentos em ordem? Ou responder aos cartões de Natal que recebeu? Realizar tarefas sempre adiadas? Ler um livro gostoso quando tiver de ficar em uma fila, ou mentalmente planejar suas férias enquanto está presa no trânsito?

Ter paciência não significa se fixar em algo que nos preocupa. É perfeitamente adequado desviar nossa mente para alguma outra coisa. Na verdade, um sábio anônimo está convencido de que a paciência nada mais é do que "a arte de encontrar uma outra coisa para fazer".

PRATIQUE COM PESSOAS IDOSAS

Saber envelhecer é a obra-prima da sabedoria e uma das mais difíceis tarefas na grande arte de viver.

HENRI-FRÉDÉRIC AMIEL

Minha amiga Michelle vai fazer sessenta anos este ano. Sua mãe, cada vez mais frágil, está com 97. Nos últimos 25 anos, Michelle tem cuidado da mãe, passando algumas semanas com ela, adequando sua vida às suas crises de saúde, adiando viagens e trabalho, e por fim mudando de cidade para morar mais perto. Durante todos esses anos, sua mãe nunca agradeceu os sacrifícios que a filha fez por ela. No entanto, Michelle manteve sempre seu compromisso de ajudar a mãe a ter um final de vida digno.

Michelle não é nenhuma santa. Ela muitas vezes perde a paciência, especialmente com a teimosia da mãe, incapaz de compreender os limites da idade. Ao insistir em virar seu colchão sozinha, por exemplo, passou seis meses de cama com problemas na coluna. Michelle fica frustrada, aborrecida e até zangada. Mas, depois, ela perdoa a mãe e toca a vida.

Em muitos aspectos, lidar com pais que estão envelhecendo requer o mesmo tipo de paciência de que precisamos para educar filhos: cuidar de suas necessidades básicas, ficar sempre atentos para que eles não se machuquem, colocar-se à disposição deles, repetir as mesmas informações e ouvir as mesmas histórias.

A diferença entre juventude e velhice, no entanto, está no fato de que, ao cuidar de uma criança, vemos crescimento e progresso. Com nosso esforço, a criança um dia será capaz de caminhar sozinha. Com os mais velhos, precisamos encontrar outras motivações: talvez porque cuidaram de nós, ou porque queremos tornar o fim de suas vidas o mais agradável possível. Cada um de nós precisa encontrar os seus próprios motivos.

Em seu diário *Uma vida interrompida,* Etty Hillesum escreve sobre suas frustrações ao lidar com seus pais e o que é necessário para realizar bem essa tarefa. "O que é necessário não são pequenos atos de amor. É algo mais fundamental, mais importante e mais difícil. É amar os pais lá no seu íntimo. Perdoá-los por todos os problemas que eles lhe causaram e por adicionarem o peso das dificuldades da vida deles à sua própria vida."

No entanto, talvez a explicação para a nossa impaciência esteja em nós mesmos. Etty compreendeu isso: "Na verdade, esses sentimentos não têm nada a ver com meus pais, mas com algo em mim mesma."

Quando Michelle analisou sua situação por esse ângulo, eis o que descobriu: "Quando estou com minha mãe, vejo nela a vulnerabilidade que terei um dia. E se eu precisar do tipo de ajuda de que ela necessita agora? E se o sofrimento me impedir de ser agradável? Eu perco a paciência porque no fundo desejo que ela seja a mãe forte e corajosa da minha juventude, e que eu não precise ter medo de envelhecer.

"Essa constatação me ajudou muito. Consegui ser solidária com minha própria vulnerabilidade, com meu medo de envelhecer. Todas as vezes que estou com minha mãe, digo a mim mesma com muita compaixão: 'Sim, você está com medo, sim, você é vulnerável.' E quanto mais eu repito isso, mais paciência tenho com ela."

Você pode fazer isso também. Pergunte-se "Do que é que estou com medo?" quando estiver perdendo a paciência com uma pessoa idosa. Quanto mais você acolher seus medos, mais paciência terá.

RESPONDA COM SEU CORAÇÃO

A distância que você percorre na vida depende do seu carinho com os jovens, da sua delicadeza com os idosos, da sua compreensão com os que se esforçam e da sua tolerância com os fracos e os fortes.

GEORGE WASHINGTON CARVER

Em *Um dia a minha alma se abriu por inteiro*, Iyanla Vanzant escreve sobre uma incrível experiência ligada à paciência. "Eu corria pela casa, tentando chegar a um lugar onde já deveria estar, procurando um par de meias enquanto pintava os olhos, passava minha blusa e escovava os dentes. É surpreendente o número de coisas que você consegue fazer quando está atrasada."

O telefone tocou. Era seu filho ligando da prisão para pedir ajuda, pois tinha brigado com outro preso. A primeira reação de Iyanla foi: "Este telefonema está atrapalhando meus planos!" Seu filho continuava falando, angustiado, mas ela só conseguia pensar no quanto estava atrasada para seu compromisso. Por fim, ele disse melancolicamente: "Eu realmente ainda não estou pronto para ir para casa, não é?"

De repente, Iyanla se deu conta: "Este é o meu filho. Telefonando da prisão para pedir a minha ajuda. E eu estou preocupada em me atrasar para um compromisso?"

"Com todo o amor e paciência que pude reunir naquele momento, respondi: 'Meu filho, você não precisa ganhar a nota máxima nos testes da vida; só precisa passar de ano. Você se afastou da briga para telefonar, em vez de permanecer no meio dela. Se quer a minha opinião, acho que você está se saindo muito bem.'"

Como Iyanla Vanzant descobriu, quando se trata de ter paciência com os outros, o melhor que podemos fazer é convocar a nossa compaixão. A maioria das pessoas faz o melhor que pode. Quando nos lembramos disso, nossos corações se abrem e a paciência nos inunda. Mas, quando reagimos com o cérebro, podemos ser muito críticos:

"Ela deveria ser assim, ele não deveria ser assim." Quando abrimos nossos corações, nos lembramos de que somos todos obras-primas inacabadas vivendo um processo de crescimento.

O escritor cristão do século XV Thomas Kempis observou isso em seu famoso trabalho *A imitação de Cristo,* quando escreveu: "Esforce-se para ser paciente ao suportar os defeitos dos que o cercam. Porque você também tem muitos, e eles precisam ser suportados pelos outros. Se você não é como gostaria de ser, como pode pretender encontrar alguém que seja totalmente do seu agrado?"

É fácil dizer que deveríamos ter compaixão. Mas, quando alguém nos ofende ou nos agride, isso se torna muito difícil. Por isso vou sugerir uma excelente maneira de ter compaixão. Afaste-se do problema e faça-se as três perguntas que minha colega Dawna Markova elaborou: (1) Se eu examinar a situação do ponto de vista da outra pessoa, o que ela pode estar vivenciando neste exato momento? (2) Qual seria a interpretação que alguém que eu respeito daria a esses fatos? (3) Se alguém que eu respeito fizesse o que essa pessoa fez, eu estaria me sentindo de outra maneira? Nesse caso, de que maneira?

Essas perguntas ajudam a abrir nossos corações. Foi o que Iyanla fez ao telefone com o filho. Ela foi capaz de compreender o que ele estava vivenciando, e sua empatia e compaixão foram despertadas.

A paciência e a compaixão trabalham juntas para se apoiarem e se desenvolverem mutuamente. Quanto mais paciência tivermos, mais seremos capazes de compreender e nos solidarizar com os sentimentos das outras pessoas. E quanto mais reagirmos com nossos corações, mais poderemos nos valer da fonte de paciência que está localizada no íntimo de cada um de nós.

DIGA A SI MESMO QUE VOCÊ TEM TODO O TEMPO DE QUE PRECISA

A vida é tão curta, deveríamos nos mover mais devagar.

THICH NHAT HANH

Topei, por acaso, com essa ideia há alguns anos. Eu estava apressada, procurando terminar um trabalho a ser entregue num prazo apertado, quando meu computador falhou. Um pouco antes de perceber minha impaciência aumentando, eu me ouvi dizer internamente: "Não vou ter tempo." Assim que essas palavras surgiram em minha mente, minha agitação física aumentou, meu coração bateu mais rápido e minha respiração ficou ofegante. Mas uma pequena parte do meu cérebro testemunhou o que tinha acabado de acontecer. E essa testemunha começou a notar que era isso o que eu sempre dizia antes de ficar impaciente: "Não vou ter tempo." Todas as vezes esse pensamento desencadeava a mesma reação: agitação e medo.

Eu detestava essa sensação de pânico. Por isso, um dia, resolvi dizer a mim mesma de brincadeira que eu tinha todo o tempo de que precisava. Tinha todo o tempo de que precisava para fazer um projeto, mesmo que fosse interrompida várias vezes ou que o computador travasse. Tinha todo o tempo de que precisava para chegar a um lugar, mesmo que ficasse presa no trânsito. Tinha todo o tempo de que precisava para preparar o jantar, mesmo que o assado queimasse.

Para minha surpresa, a frase funcionou como um amuleto. Sobretudo descobri que *de fato* eu tinha todo o tempo de que precisava. A afirmação passou a funcionar tão bem que parecia mágica, como se o tempo aumentasse ou diminuísse de acordo com a minha atitude em relação a ele. Em algumas ocasiões fiquei mesmo sem tempo, mas ainda assim fiz mais do que teria feito se tivesse me apavorado com a perspectiva de falta de tempo.

Comecei a perceber que o hábito de nos amedrontarmos com a ideia de não termos tempo suficiente diminui expressivamente nossa eficiência e nossa capacidade de atuação. Na verdade, quanto mais conseguimos nos manter tranquilos quando estamos sob pressão, mais capacidade temos de agir, porque estamos usando a parte racional da nossa mente para nos ajudar. Com tranquilidade e bom senso talvez possamos descobrir como destravar o computador, terminar o trabalho no prazo acordado, chegar a uma reunião na hora. Se entrar em pânico, não vou conseguir nada disso.

Usando esse método de autoconvencimento, mudei de tal maneira de atitude que as pessoas em volta de mim começaram a me perguntar qual era o meu segredo. Compartilhei minha estratégia e outros começaram a usá-la com sucesso.

O truque consiste em nos lembrarmos de utilizá-la. Alguns põem a frase em um papel adesivo e o colam em seus computadores. Para mim, o que funciona melhor é parar todas as vezes em que me escuto dizendo "Não vou ter tempo", respirar fundo e substituir essa frase por "Tenho todo o tempo de que preciso".

Faça essa experiência. Durante uma semana, observe o que acontece se você disser a si mesmo que tem tempo suficiente. A sua vida ficou mais calma, mais feliz? Mais produtiva? Se isso funcionar, ótimo! Você acabou de descobrir uma maneira de produzir mais e sentir menos estresse.

FAÇA UMA ANÁLISE DOS RISCOS

Quando algum infortúnio nos ameaça,
o melhor que temos a fazer é considerar séria
e deliberadamente qual a pior coisa que poderia
acontecer. Depois de encarar essa possível desgraça
de frente, encontre razões sólidas para pensar que,
apesar de tudo, ela não será tão terrível assim.

BERTRAND RUSSELL

Minha amiga Annette é uma das pessoas mais tranquilas que conheço. Eu observei sua serenidade aparentemente infinita em ambientes sociais e profissionais. Isso é mais surpreendente ainda porque ela tem uma séria doença renal que exige diálises diárias. Mas Annette lida com esse problema e com tudo o mais com uma grande calma. Um dia perguntei qual era o seu segredo.

"Quando a pressão fica forte e eu começo a perder a paciência, eu me pergunto: 'Qual é a pior coisa que pode acontecer se eu me empenhar para resolver isso?' Quando se trata de uma coisa que escapa ao meu controle, como um engarrafamento, eu pergunto: 'Qual é a pior coisa que pode acontecer se eu me atrasar?' Ou se o bombeiro não aparece para consertar a privada hoje, a pergunta é a mesma. E a resposta quase sempre é 'Nada demais'. Portanto, qual é o problema de estar dez minutos atrasada ou ter de encontrar uma outra pessoa para consertar minha privada? Eu concluo que os problemas que poderiam ocorrer são insignificantes se eu os comparar com o estresse causado pela exasperação que eles podem causar."

Mulher sábia, essa Annette. Seu método para se manter paciente é muito direto. Ela faz o que no mundo dos negócios é chamado de análise de riscos: avaliar cuidadosamente os possíveis riscos e julgar se será possível sobreviver a eles. O que ela geralmente descobre é o mesmo que você ou eu descobriríamos se fizéssemos essa avaliação, ou seja, que muito provavelmente o risco é mínimo. O problema é que, quando ficamos estressados, nos exasperamos e nos sentimos como se estivéssemos em uma situação de vida ou morte.

Mesmo em caso de perigo, uma análise de riscos pode ser útil. Ellen MacArthur, uma jovem de 24 anos, adora velejar. Recentemente, essa jovem inglesa entrou no Vendée Globe, uma corrida solitária ao redor do mundo, disputando com alguns dos mais experientes velejadores do planeta. Ninguém esperava que ela terminasse a prova.

Sozinha, Ellen escapou por pouco de uma fileira de cinco icebergs. Seu barco ficou avariado e necessitando de sérios consertos. "É horrível sentir o barco se quebrando debaixo de você", ela relatou em seu diário. Distante apenas duzentas milhas da linha de chegada, um tirante que segurava o mastro quebrou e seu barco quase foi destruído.

Em cada desafio, Ellen cuidadosamente avaliou os riscos, calculou as opções e pacientemente fez os reparos. Os resultados? Ela chegou em segundo lugar, tornando-se a pessoa mais jovem e a mulher mais rápida a velejar sozinha ao redor do mundo, e a segunda pessoa no mundo a fazer isso em menos de cem dias.

Na próxima vez em que você estiver a ponto de enlouquecer com algum problema, faça uma análise de riscos e observe se isso ajuda a recobrar o seu equilíbrio. "Qual *é* a pior coisa que poderia ocorrer?" Se você tem tendência a imaginar catástrofes, inclua as seguintes perguntas: "Realisticamente, qual é a probabilidade de o pior vir a acontecer? Se o pior ocorrer de fato, eu poderia sobreviver a ele – ou talvez até aprender algo com o problema?"

Provavelmente você descobrirá que o pior talvez não aconteça e que, mesmo que acontecesse, você conseguiria superá-lo. Essa consciência pode lhe dar o conforto e a tranquilidade de que você precisa.

MANTENHA OS SEUS OLHOS NO PRÊMIO

Eu sou extraordinariamente paciente, desde que finalmente consiga o que quero.
MARGARET THATCHER

Em sua autobiografia *Superar o impossível*, Christopher Reeve escreve sobre a sua determinação de ficar de pé novamente após a queda de cavalo que o deixou paralisado do pescoço para baixo em 1995. "Não é possível", lhe diziam os especialistas, "a medula espinhal não pode ser regenerada." E acrescentavam que ele tinha sorte de estar vivo. Mas o antigo Super-Homem estabeleceu um objetivo para si mesmo: ficar de pé no dia em que completasse 50 anos em 2002 e brindar aqueles que tivessem tornado esse fato possível.

Christopher Reeve não se levantou para um brinde em seu aniversário. Mas conseguiu sentar-se sozinho e mover braços e pernas, prova de que a medula tinha se regenerado um pouco. E também pôde sentir toques delicados e picadas de agulhas, mais um sinal de recuperação da medula espinhal.

Ele alcançou essas vitórias por meio de um programa de exercícios físicos incrivelmente exigentes que requeriam uma imensa paciência por parte dele e daqueles que o auxiliavam. A paciência para fazer os mesmos exercícios exaustivos repetidamente, sem resultados aparentes.

Embora ele não tenha alcançado sua meta, acredito que o fato de ter um objetivo fez a paciência – e o progresso que conseguiu – ser possível. Como precisava se esforçar para conquistar algo muito importante para ele, conseguiu aguentar todo o sofrimento físico decorrente. Manteve o tempo todo seus olhos no prêmio.

Você não precisa ser um super-herói para fazer isso. Por causa de várias confusões causadas por obras de reforma em sua casa, minha amiga Karen acabou tendo de conviver com um banheiro muito precário durante seis meses. Perguntei como é que ela tinha mantido a paciência. "Bastava eu me lembrar do meu objetivo, que era ter um banheiro exatamente como eu planejara. Quando começava a perder a paciência, eu me lembrava do que queria, e ela voltava."

Como Margaret Thatcher nos lembra na citação inicial, é precisamente a determinação de conseguir o que queremos que nos dá a paciência de que precisamos para enfrentar os obstáculos e seguir em frente. Se não nos mantivermos seguros em nossa vontade, podemos facilmente desistir. Mas quando estamos comprometidos com o que desejamos, temos a capacidade de conviver com a situação, porque sabemos que, no final, o resultado será aquele que buscamos.

Essa determinação é uma força poderosa. De uma maneira muito real, somos empurrados para o futuro pela força da nossa vontade e pelo poder da nossa paciência. Isso acontece porque, como Robert Fritz aponta em *The Path of Least Resistance* (O caminho da menor resistência), nosso objetivo, determinado por nossa paixão e criatividade, se transforma em um poderoso ímã que atrai energia. Não sabemos como, não sabemos quando – é aí que entram a paciência e a fé –, mas, se persistimos na busca daquilo que nosso coração deseja fortemente, é provável que o obtenhamos.

Na próxima vez que se vir frustrado naquilo que deseja, procure usar a energia da sua frustração para reforçar ainda mais o seu desejo. Diga a si mesmo: "Quanto mais essa pessoa ou esse obstáculo se colocar no meu caminho, mais me lembrarei do que verdadeiramente quero." Não se trata de um truque. Essa atitude positiva aumenta as possibilidades de nossos sonhos se tornarem realidade.

NÃO SE DEIXE SOBRECARREGAR

Estou atrasado, estou atrasado para um encontro muito importante. Não tenho tempo para dizer "Alô", "Adeus". Estou atrasado, estou atrasado, estou atrasado, estou atrasado.

O COELHO BRANCO, EM *ALICE NO PAÍS DAS MARAVILHAS*, DE LEWIS CARROLL

Sheila e Ted são casados e têm dois filhos pequenos. Ted é um programador de computação que trabalha a uma hora de distância de onde moram. Sheila é enfermeira e trabalha no turno da noite para poder estar em casa na parte da manhã, já que a escola dos filhos é à tarde. Ted sai cedo para o trabalho para estar de volta às três horas, quando as crianças chegam da escola. Ted e Sheila se comunicam por bilhetes e só se veem nas horas em que ambos estão acordados nos fins de semana.

"Tudo funciona bem, até o momento em que deixa de funcionar", Sheila me confidenciou recentemente. "Um feriado escolar, uma criança doente, e todo o sistema desmorona. Eu fico nervosa, me preocupando com o próximo problema." Sheila também perde constantemente a paciência com os filhos: "Eles me chamam de sargento", ela lamenta. Não é de surpreender, pois não há pausas na vida do casal.

Sheila e Ted não são os únicos a estar nessa roda-viva. Há pouco tempo, uma mãe solteira me escreveu dizendo que, apesar dos esforços para ser gentil e paciente, "eu me vejo praticamente empurrando velhinhas para entrar no metrô. E me irrito quando o treinador de futebol não termina o jogo na hora certa, porque tenho de atravessar correndo a cidade para pegar meu outro filho".

A correria é geral. Acumulamos tarefas e papéis que nos obrigam a deslocamentos constantes, dando-nos a sensação de que o dia deveria ter mais 24 horas. As mulheres, sobretudo. São os filhos, a casa, o marido, o trabalho, a necessidade de cuidar um pouco de si mesma. É o sentimento de estar fazendo tudo pela metade, de não conseguir satisfazer ninguém, nem a elas mesmas. Não é de espantar que ficamos deprimidos e impacientes com qualquer obstáculo que surja em nosso caminho.

É por isso que uma das maneiras de conseguir ter mais paciência é, nas palavras da autora Dawna Markova, procurar não se sobrecarregar. Fazer dez coisas em vez de vinte; obrigar-se a tirar uma soneca de meia hora em algum momento do dia; sair para uma reunião com tempo suficiente para não se estressar com a preocupação de se atrasar.

As pessoas mais pacientes que conheço são aquelas que têm tempo suficiente para enfrentar qualquer imprevisto que a vida coloca em seus caminhos – um dente quebrado, um pneu furado, um filho doente. Suas jornadas são suficientemente flexíveis para acomodar tais infortúnios, e por isso elas conseguem reagir com paciência e tolerância.

Pare um instante neste exato momento para pensar como você poderia eliminar tarefas de sua vida. Você consegue dizer não às solicitações que não são essenciais? Delega algumas funções ou assume todas? Tudo o que você faz é indispensável ou há coisas que podem ser adiadas ou mesmo descartadas? Lembre-se: fazemos escolhas o tempo todo, e por isso temos o poder de mudar as que estamos fazendo agora.

Sheila percebeu que inconscientemente ia assumindo todas as tarefas, sem procurar outras soluções. Ela e Ted acabaram convidando a mãe dele para ir morar com a família. É uma senhora encantadora, que ficou contente por poder conviver com os netos. Agora o casal tem uma ajudante e uma motorista de plantão. Ted, Sheila e seus filhos estão muito mais pacientes – e felizes.

Como é que você pode recuperar seu tempo?

PERGUNTE A SI MESMO: "ESTE TROÇO AINDA ESTÁ VOANDO?"

Estamos todos oscilando no meio
do processo entre o que já aconteceu
(que é apenas uma lembrança) e o que
poderia acontecer (que é apenas uma ideia).
O agora é o único momento em que alguma coisa
acontece. Quando ficamos atentos, sabemos
o que está se passando em nossas vidas.

SYLVIA BOORSTEIN

Meu marido conta histórias de maneira confusa. Como vivo com ele há dez anos, você deve achar que já me acostumei. Recentemente, ele começou uma história com as seguintes palavras: "Eu quero lhe dizer uma coisa que pode ter consequências muito negativas para esse negócio que você está montando." Antes de ele acabar a frase, meu coração disparou, eu entrei em pânico e comecei a gritar: "Diga logo o que é! Diga logo!" É claro que a paciência foi para o brejo! Meu rompante o deixou tão agitado que ele demorou cinco minutos para conseguir acabar de falar.

Quando, mais tarde, revi minha reação e refleti, percebi que geralmente o que me faz perder a paciência está relacionado a algum tipo de medo. Algo acontece e eu me convenço de que terá consequências desastrosas se não for atacado IMEDIATAMENTE!

É por isso que fiquei tão encantada com uma história que li sobre o antigo astronauta da Apolo, Alan Bean. Como a maioria dos astronautas, Bean tinha sido anteriormente um piloto de provas treinado para fazer a si mesmo a seguinte pergunta quando algo parecia sair errado: "Este troço ainda está voando?" Essa é uma maneira de ajudar o piloto a avaliar mentalmente a seriedade do problema, em vez de entrar em pânico, e ajudá-lo a ter serenidade para encontrar uma solução.

Bean relata que esse treinamento foi muito útil quando ele estava na cápsula da Apolo 12. Ao subir, a nave foi atingida por um raio. De repente, todas as luzes de aviso do painel de instrumentos começaram a piscar, e os astronautas a bordo se sentiram intensamente pressionados a fazer ALGUMA COISA. Naquele momento, disse Bean, ele se lembrou da pergunta. A nave não apenas continuava voando como estava indo na direção certa, isto é, para a Lua. Por isso, ele decidiu não abortar a missão, mas pacientemente verificar cada luz de aviso até todas as funções estarem restauradas. E assim eles chegaram à Lua.

É bem provável que as coisas que nos fazem perder a paciência não constituam ameaças de morte como as de uma nave atingida por um raio. Isso nos permite parar e perguntar: "Este troço ainda está voando?" Em outras palavras: "Será que estou de fato em uma situação de vida ou morte, ou tenho tempo para avaliar todas as minhas opções com calma?"

Independentemente do fato de meu marido ter levado um minuto ou quatro para me contar sua história, eu não me encontrava em perigo iminente. E é claro que, se mantivesse a calma, estaria muito melhor preparada para lidar com qualquer informação que ele me passasse, mesmo que fossem notícias horríveis.

Na próxima vez em que você se vir sem paciência com alguém ou com alguma situação, experimente a pergunta dos pilotos de prova. É uma ótima maneira de recuperar uma parte da tão necessária tranquilidade.

5

Vinte estimuladores simples da paciência

Além das práticas apresentadas na Parte 4, sugiro aqui procedimentos fáceis de que você pode lançar mão na hora em que estiver procurando aumentar sua paciência.

1. Se você está trabalhando em um projeto grande, prefira observar o que já fez, em vez do pensar no que ainda tem a fazer. A abordagem do "copo metade cheio" – em vez do "copo metade vazio" – aumenta a paciência porque apela para o nosso otimismo. Como um homem escreveu sobre a construção de um barco: "Eu não penso sobre quanto tempo vai demorar. Mas observo o que já fiz."

2. Você está no seu limite de tolerância com alguém no trabalho ou em casa? Experimente uma boa caminhada ou uma corrida. Você queimará os hormônios do estresse que se acumularam em seu sistema e terá mais capacidade para retomar sua paciência quando voltar.

3. O velho conselho de contar até dez antes de falar em uma situação acalorada pode realmente funcionar. Esses segundos dão a chance de lembrar o que de fato é importante para você – desperdiçar energia ou encontrar uma solução eficaz. Se contar até dez não funcionar, experimente contar até vinte. Continue contando se for necessário!

4. Em vez de ficar resmungando, busque soluções práticas para contornar características de seu parceiro ou de sua parceira que irritam você. Compre uma geladeira que faz cubos de gelo automatica-

mente, se você fica uma fera porque ele ou ela sempre esquece de encher as bandejas de gelo; compre a pasta de dente que vem com uma dessas tampas que não saem, se você fica fora de si ao ver o tubo sem a tampa; coloque uma mola na porta do banheiro, se ele ou ela deixa a porta aberta. Existem soluções muito simples, basta procurar por elas.

5. Ponha uma pedrinha no seu bolso. Quando começar a sentir a irritação aumentando, passe a pedrinha de um bolso para o outro. Isso ajudará a interromper o ciclo da raiva e dará a você a oportunidade de se recompor.

6. Ao ficar em pé numa fila, transporte-se para férias mentais. Visualize o lugar mais tranquilo que você puder. Imagine, sinta e ouça a si mesmo nesse lugar. Reflita sobre os sentimentos que ele evoca em você. Em vez de se concentrar no quanto terá de esperar, aproveite essa oportunidade para sonhar com o lugar mais bonito que conhece ou deseja conhecer.

7. Filhos, pais, esposa, marido fazem seu sangue ferver? Pense no legado que você quer deixar no mundo. Seu pai em seu leito de morte irá agradecer por sua dedicação? Seus filhos pensarão em você como um pai amoroso e companheiro? Seu parceiro evocará a pessoa solidária e companheira que você foi? Pare um minuto agora para pensar em como gostaria que os outros se lembrassem de você depois de sua morte, e use esse pensamento nos momentos tumultuados de seus relacionamentos.

8. Inicie um movimento pela paciência. Agradeça às pessoas que estão atrás de você por serem pacientes enquanto você procura moedas para pagar uma conta, fazendo a fila parar. Isso desarmará a tensão deles e a sua e talvez estimule os outros a fazer a mesma coisa.

9. Quando tiver de esperar um bom tempo para alguma coisa acontecer – um projeto grande, por exemplo –, comemore pequenos avanços ao longo do caminho. Dez páginas concluídas? Leve a si mesmo

para almoçar fora. Quando nos premiamos por algo que realizamos, injetamos ânimo para continuar.

10. Sem tempo para fazer um retiro? Use a fila de espera para praticar meditação andando. Sinta seus pés no chão. Levante cuidadosamente um pé, observe a sensação de fazer isso. Coloque-o cuidadosamente de volta no chão e, então, de modo consciente, levante e abaixe o outro pé. Procure concentrar-se no ato de levantar e abaixar os pés. Quando perceber que está começando a divagar, delicadamente volte sua atenção para o ato de caminhar. Não só você terá mais calma para esperar como estará fortalecendo o seu músculo da paciência.

11. Esperando impacientemente o seu computador ligar? Faça alguns exercícios de alongamento para relaxar os músculos das costas e do pescoço. Afaste-se da mesa, sente-se na beira da cadeira com os joelhos e pés afastados cerca de trinta centímetros um do outro. Ponha a cabeça entre os joelhos e deixe suas mãos descansarem no chão, entre seus pés. Fique respirando e deixe a irritação e a tensão passarem do seu corpo para o chão.

12. Experimente a meditação da luz vermelha. Num sinal vermelho ou diante de qualquer frustração, respire conscientemente três vezes. Simplesmente observe como o ar entra e sai, naturalmente, sem tentar alterar nada.

13. Preste atenção nas tarefas que está desempenhando. Ao limpar a mesa da cozinha, por exemplo, concentre-se no que está fazendo. Sinta seu braço se movendo para um lado e para o outro e aprecie o brilho que você está criando. Ao se fixar no prazer da atividade, você obtém mais paciência para realizá-la.

14. Corte ou elimine a cafeína. A cafeína é um estimulante que pode causar agitação, irritabilidade e desânimo para enfrentar a vida. De acordo com uma pesquisa, a maioria dos americanos consome mais do que a quantidade recomendada de duzentos miligramas

por dia. (A xícara média de café contém cem miligramas.) Quando percebi que estava bebendo um litro de mate por dia, troquei para o descafeinado. O gosto não era tão bom, mas valeu pelo aumento da calma e da paciência.

15. Você se irrita quando alguém fala demais e você não pode escapar? Pense em uma ocasião em que encontrou alguém que fosse paciente quando você necessitava. Quando nos lembramos do poder de cura que a paciência de alguém teve em nossa vida, passamos a ser mais pacientes com os outros.

16. Eu prefiro vencer a discussão ou alcançar meu objetivo? É uma ótima pergunta para você se fazer quando estiver discutindo com alguém. Use-a sempre que precisar para manter claro seu objetivo – e sua paciência.

17. Encontre uma citação inspiradora (este livro tem muitas), escreva-a num adesivo e cole-o no seu computador, no espelho do seu banheiro ou em seu carro. Quando você perceber que está perdendo a calma, leia-a para estimular sua paciência.

18. Peça ajuda. Muitas vezes ficamos impacientes porque estamos sobrecarregados e exaustos. No fim da vida, você não receberá um prêmio por ter feito uma quantidade enorme de coisas, especialmente se as tiver feito em um estado de esgotamento e exasperação.

19. Experimente rir de si mesmo ou de sua situação. Christopher Reeve descreveu, com eloquência, como o ato de rir o ajudava a enfrentar a depressão causada pela paralisia. Ele sempre procurou responder com bom humor às perguntas sobre seu estado físico e emocional.

20. Impaciente no escritório? Entre num site que tenha fotos aprazíveis, ouça música suave ou faça exercícios de relaxamento sentado à sua mesa. Dê pequenas paradas de um minuto, relaxe o corpo, sinta os pés no chão e respire fundo algumas vezes.

6

ACIMA DE TUDO, TENHA COMPAIXÃO POR SI MESMO

*Tenha paciência com todas as coisas, mas principalmente tenha paciência consigo mesmo...
A cada dia que se inicia, comece a tarefa de novo.*
SÃO FRANCISCO DE SALES

Uma vez li uma citação que dizia: "Um homem paciente é aquele que consegue se suportar." Com o passar do tempo, compreendi melhor a sabedoria daquelas palavras e as da citação de São Francisco. Ao cultivar a paciência, nos tornamos mais capazes de nos amar com toda a nossa imperfeição e beleza, com nossos fracassos e sucessos.

Quanto mais reflito sobre a paciência, mais consigo ver que a impaciência é, na verdade, um sintoma de perfeccionismo. Se esperarmos que nós e os outros sejamos perfeitos, que o metrô, os elevadores e os sistemas de mensagens eletrônicas sempre funcionem bem, perderemos a paciência todas as vezes que alguma imperfeição surgir: a bagagem extraviada, um esquema de horários arruinado, garçons mal-educados, familiares intrometidos, crianças malcriadas. Por outro lado, quanto mais admitirmos que a vida é desorganizada e imprevisível, e que as pessoas se viram da melhor maneira possível, mais paciência teremos em relação às circunstâncias e às pessoas que nos cercam.

No entanto, só poderemos fazer isso se formos tolerantes e pacientes com nossas atitudes, se sentirmos compaixão por nós, por nossas fraquezas e imperfeições. Quando exigimos de nós perfeição, somos severos, inflexíveis e críticos. Qualquer erro é inaceitável, e por isso o escondemos e fingimos que ele nunca aconteceu. Não aprendemos com nossos erros e, assim, somos condenados a repeti-los. Se, em vez disso, nos tratarmos com carinho e delicadeza, como uma mãe trata o seu recém-nascido, poderemos reconhecer nossos erros e fazer escolhas mais sábias no futuro.

Eu adoro a palavra "compaixão", porque significa entrar em sintonia com a dor dos outros e compreendê-los. Quando nos tratamos com compaixão, entramos em sintonia com nossa fragilidade – nossa aflição, nossa irritação e nossa raiva. Ao aceitá-las como características inevitáveis dos seres humanos, nos tornamos mais capazes de administrá-las e transformá-las. Dissolvemos a rígida exigência de perfeição. Mesmo que não tenhamos correspondido às nossas expectativas – muitas vezes irreais –, nós nos amamos assim mesmo, exatamente como somos. E, quanto mais amor e compaixão temos por nós, mais paciência teremos para conceder ao restante das pessoas imperfeitas que povoam este mundo tão longe da perfeição.

O amor e a paciência são dois fios que se entrelaçam. Com o amor, podemos ser pacientes com nós mesmos, com os outros e com a própria vida. Com a paciência, podemos nos amar, amar outras pessoas e amar a misteriosa e assustadora jornada da vida. Cada fio inspira e apoia o outro.

Um dos mais inspirados escritores do século XIX era um homem chamado Henry Drummond, que escreveu um livro de muito sucesso chamado *O dom supremo*. Nele, o autor diz: "O mundo não é um playground, ele é uma sala de aula. A vida não é um feriado, ela é um aprendizado. E a pergunta que sempre devemos nos fazer é: 'Como podemos amar melhor?'"

Possa a sua paciência dar-lhe a capacidade de enfrentar esse grande desafio e possa o seu amor – por você e pelos outros – ser um instrumento eficaz para desenvolver a sua paciência, fazendo com que ela brilhe no mundo e o transforme num lugar melhor para todos os seres vivos.

CONHEÇA OUTRO TÍTULO DA AUTORA

O poder da gratidão

Você já se sentiu entusiasmado ao acordar numa manhã ensolarada de verão? Já agradeceu do fundo do coração por estar cercado de amigos? Já ficou aliviado por se livrar de uma doença ou de alguma coisa que o incomodava?

Essas são algumas das situações em que vivenciamos a verdadeira gratidão. Ser grato não significa dizer "obrigado" quando alguém nos faz um favor, mas sentir uma alegria genuína por essa pessoa existir.

Costumamos ficar presos àquilo que nos falta – um emprego melhor, um relacionamento estável, uma casa mais confortável – e deixamos de aproveitar o que já conquistamos. Ao mudar de perspectiva, começamos a perceber as maravilhas que temos à nossa volta.

Com um texto leve recheado de ótimas histórias reais, M. J. Ryan ensina a resgatar o sentimento de gratidão para vivermos mais centrados no presente, diminuir nossa ânsia pelo consumo, criar relações sinceras e dar valor às coisas que realmente importam.

Informações sobre os Próximos Lançamentos

Para receber informações sobre os lançamentos da Editora Sextante, basta cadastrar-se diretamente no site www.sextante.com.br

Para saber mais sobre nossos títulos e autores, e enviar seus comentários sobre este livro, visite o nosso site www.sextante.com.br ou mande um e-mail para atendimento@esextante.com.br

Editora Sextante
Rua Voluntários da Pátria, 45 / 1.404 – Botafogo
Rio de Janeiro – RJ – 22270-000 – Brasil
Telefone: (21) 2538-4100 – Fax: (21) 2286-9244
E-mail: atendimento@esextante.com.br